文春文庫

消えた人々

佐野洋

文藝春秋

文春文庫

消えた人々

佐野洋

文藝春秋

目次

単行本　一九九〇年八月文藝春秋刊

消えた人々

しかし、ふたたび……

一九八八年五月一日

『女性樹氷』編集長
神田　均

特別取材モニター各位
中高年者の家出・失踪について

風薫る五月、皆様にはお元気にご活躍のこと、お喜び申し上げます。

また、日頃から『女性樹氷』にご協力いただき、感謝に耐えません。本誌が他誌にくらべダイナミックな活力に満ちていると、読者の好評を得ているのも、ひとえに皆様から寄せられる新鮮な情報、的確なご意見のお陰と存じております。

さて、今般、表記の件につき、特集することになりました。

最近の統計によりますと、中高年層の離婚が増えているとのことです。この原因について、識者が日本人の平均寿命の伸び、核家族化の進行、さらに女性の地位の向上などをあげていることは、ご存じの通りであります。

しかし、離婚というのは表面に現れた現象であり、そのような正式な手段を避け、家出あるいは失踪の形で『一人の生活』を選んだ人々もいるのではないか、いやそのような人々の方が多いのではないか、というのがこの特集を思いついた動機であります。つきましては、御地におけるそのような実例を取材、報告していただきたくお願い申し上げる次第です。

もちろん、皆様がお忙しいことは存じておりますから、具体的事案の大要をお寄せ下されば、ただちに特派記者を差し向け、詳しく取材させることになると思います。その節には改めてご協力を仰ぐことになりますので、これも併せてお願いいたします。

なお、念のために申し添えますと、当方が狙っているのはつぎのようなことですので、この点にご配慮いただければ幸甚です。

1、四十過ぎの男女が、ある日、忽然《こつぜん》として、姿を消してしまった。

2、その場合の背景と考えられる動機。

3、これに対し、家族・親戚・友人等はどう対処したか。（捜索願いの提出の有無）

4、本人（もしわかれば）、及び残された者のその後の生活ぶり。

5、その他、これにともなう話題。

なお、情報の取捨は当編集部で行いますので、常識的には活字にできないと思われるようなことでも、一応おしらせ下さい。裏付けのとれない噂程度のものでも結構です。

その後の取材日程などを考慮、六月十日を締め切りの目安といたします。　以上大北斗新聞社会部の鎌田憲一も、『女性樹氷』の特別取材モニターになっていた。

鎌田は大学時代、『推理小説同好会』に属していたが、そこの二年先輩にあたる米山が『女性樹氷』の編集部にいて、去年の春、その話を持ちかけて来たのであった。

『こんど、うちの雑誌に特別モニターという制度が作られたんだ』

と、米山は電話で言った。『それを君にお願いしようと思ってね』

『なんですか？　その何とかモニターというのは……』

と、鎌田は聞いた。

『大体、地方にいる新聞記者になってもらうんだ。その地方の変わったできごとを知らせてくれればいい。つまり君の場合だったら、北海道の新聞を見て、これはちょっと面白いという記事があったら、それを切り抜いて送ってくれる……。謝礼は月六千円。寄せられた情報が物になった場合には、その都度それに応じたお礼はする。まあ、本業には差し支えがないと思うし、小遣い稼ぎにはなるのじゃないか』

以来、鎌田は毎月十件ぐらい、記事の切り抜きを送っている。

そのうちの一件に、妻が愛人と共謀、夫を雪の中に生埋めにして、事故に見せかけようとした事件があった。編集部が、その事件に興味をそそられたのか、ニューストーリーに仕立ててみないかと言ってよこし、鎌田は休日一日をつぶして、原稿に取り組んだ。

毎日記事を書いているから、ペンを取ること自体を億劫《おっくう》には感じなかったが、いざやってみると、新聞の記事とは勝手が違い、予定以上に時間を費やしてしまった。しかも、できばえについての判断が自分ではつかず、没になるかもしれないと考えていたところ、米山が電話で誉めてくれた。

『ことに酔っ払った夫を外に運び出し、雪をかけるときの心理描写がいい。君、小説も書けるんじゃないか』

そして、その原稿料は予想以上に高額であった。米山に聞くと、取材費込みの計算なので、そうなるのだという。

『普通は、うちの方から取材記者を派遣するわけだよ。その往復の航空運賃を考えれば、君にやってもらう方が経費の節約にもなる。これからも、こういうことがあると思うけれど、宜しく頼むよ』

『女性樹氷』からの依頼書は、五月四日に鎌田の自宅に届けられた。社には内緒のアルバイトだから、連絡は自宅の方にしてもらうように米山に話してあったのだ。

その翌々日の六日朝、時計が十時を示すのを待って、鎌田は手帳で高津百合江の電話番号を調べ、ダイヤルを回した。彼の自宅の電話機は、まだプッシュ式になっていない。

断続的な呼び出し音が、受話口から流れている間、鎌田は緊張していた。

百合江は、去年の春に結婚した。相手はサラリーマンだという。だから、金曜のこの日は勤めに出ているはずであるが、いわゆる連休の谷間にあたる六日は、休みを取っているサラリーマンも少なくないらしい。百合江の夫もあるいは家にいるのではないか、と彼は考えたのである。もしそうなら、百合江は彼の電話を迷惑に感じるかもしれない……。

それで、やがて、

「はい、高津でございます」

という声が返って来たときも、鎌田は警戒気味に言った。

「朝からすみません。大北斗の鎌田と言いますが……」

「あら……」

百合江は弾んだ声を上げた。「珍しいわ。どうしたの？」

「しばらく……。ところでいま話して構わない？」

「え？　ええ、いいわよ。旦那さまは、けさから帯広に出張なの」

百合江は、結婚前、薄野《すすきの》のバーに勤めていた。バービルと呼ばれる、何軒ものバーが同居しているビルに、その店、サミットはあった。カウンターが中心で、ママのほかには女の子が二人いるだけの小さな店で、料金はそう高くはなかった。だからこそ、鎌田のような若い新聞記者も出入りできたのではあるが……。

「実は、ちょっと聞きたいことがあるんだ」

「ああ仕事なのね。だろうと思った。そうでなければ、鎌田さん、電話くれないものね。冷たいんだから……」

「何言ってるんだ」

と、鎌田も応じた。百合江が一人だと知って、緊張も完全に解けていた。「ぼくだって電話したかったんだぜ。ただ、人妻に電話しては悪いと、遠慮していたんだ」

「どうして遠慮するの？　人妻にだって、昔の男と電話する自由ぐらいあるわよ」

百合江は陽気な笑い声を立てた。

「昔の男とは、ずいぶん大胆なご発言で。もっとも、その言葉は残念ながら、事実とは違っているようだけれど……」

鎌田の胸を、淡い色の感情が過《よぎ》った。百合江とは、休日にレンタカーでドライブをして、その別れ際に唇を合わせたこともある。しかし、結局は、それだけだった。そのころは、彼女はいまの夫との結婚の話が進行中だったらしい。

「あら、そうかしら……。あたし、本当いうと、あのころ迷っていたのよ。鎌田さんが強引に出たら、どうなったかわからなかった」

「弱ったな」

鎌田は眉を寄せた。妙な風に話が発展してしまった。彼女は、夫との仲がうまく行っていないのだろうか。

「鎌田さんが困ることないでしょう。いまさらデートしてくれなんて言わないから……」

「いや、お茶ぐらいなら……」

「ありがとう。でも遠慮するわ。鎌田さん、いまだにヘビースモーカーなんでしょう？煙草の煙って、おなかのこどもに悪いらしいから……」

「ああ、そうなの？　それはおめでとう」

鎌田は、拍子抜けを感じながら言った。それなら、夫婦仲を心配する必要はない……。

「ほら、前に君から聞いただろう」と、鎌田は言った。「家出をしたサラリーマンの話……。そのことで電話したんだけれど……」

『女性樹氷』編集部からの依頼書を読んだ瞬間、鎌田は、かなり前に百合江に聞いた話を思い出したのだ。

それは、五十を過ぎたサラリーマンが、突然家出をしたという話だったから、あの依頼書にぴったりの実例だと考えたのである。

「家出したサラリーマン？」

百合江は、曇った声で聞いた。「だれのことかしら……。そんな話したことある？」

「あるさ。何でも五十過ぎの人で、奥さんとはずっとセックスをしていないとか……」

「さあ……」

百合江は、まだ思い出せないようだ。

「それで、その友だちが、それなら口説いてもいいか、というようなことを言い……」

「ああ、星野さんね」

百合江の声は、急に大きくなった。

「ああ、星野さんというのか……。その人その後どうなったか知らない？」

「知らないわ。でも、なぜ、そんなことが必要なの？」

「いや、ちょっと調べてみたいんだ。それで、星野さんの奥さんを口説くとか言った友だちの名前はわからない？」

「ええとねえ……。そうだ、あれは泉さんだった」

「泉さんね。それでふたりは、同じ会社なのかなあ」

「さあ……。そこまではあたし知らないわ。ママに聞けばわかるのじゃない？」

「うん、しかし、このところサミットにはご無沙汰だもので、敷居が高いんだ」

「あら、行ってないの？　どうして？」

「百合江ちゃんがいなくなったのでつまらなくなったんだろうな」

と、鎌田は言った。しかし、本当の理由は、その店にカラオケの設備が入ったためであった。彼は、カラオケそのものも好きではなかったし、仲間と飲みに行っても、音響がうるさくて、ろくに話もできないため、足を運ばなくなったのである。

「うまいこと言っちゃって……。でも、たまには遊びに行ってあげてよ。ママは鎌田さんのファンだったのだから……」

「うん、そうだな」

と、鎌田は答えた。星野や泉についての情報を取るためには、今晩でも顔を出す必要があるかもしれない……。

「でも、おかしいわね。身元不明の死体でもみつかったの？」

と、百合江が聞いた。

「死体？　どうして？」

「だって、鎌田さんが、あんな古い話をほじくり返すんだもの。どこかで死体がみつかったので、鎌田さんの勘が、妙な風に働いたのかと思ったの」

「いや、そんなんじゃない。いずれ説明するよ。しかし、死体なんてことを考えると、それこそ、おなかの赤ちゃんによくないぜ」

「ありがとう。でも、娑婆《しゃば》は大変だぞと、いまのうちに教えておいた方がいいかもしれないでしょう」

百合江は、楽しそうに笑った。

あれは、おととし、いやその前の年の秋だったかもしれない……。電話を切ってから、鎌田は思い返していた。彼が警察担当を離れて、市役所回りになったばかりのころであった。

ある夜、サミットで飲んでから、百合江と一緒にラーメンを食べに行った。

そのとき、ラーメン屋のカウンターの片隅で、百合江が思い出したように言った。

『男の人って、友だちの奥さんを口説いたりするものなの？』

『何だい、いきなり……』

鎌田は、質問の真意がわからず、首をかしげた。

『きょう、お店で変な話を聞いたの。よく来るお客さんなんだけれど、ひとりが、ここ一年近く奥さんとセックスしていない、なんて言い出したの。そうしたら、一緒に来ていたその友だちが、それじゃあ、奥さんがかわいそうだ、おれが口説いてもいいかなんて』

『ははあ、きっと、その奥さん美人なんだ』

と、鎌田は言った。

『あら、美人なら、友だちの奥さんでも口説くもの？』

『しかし、それは、男に限ったことじゃないだろう？　親友の夫と不倫する女の話なんかも、テレビドラマではよくあるじゃないか』

『そう言えばそうね。結局、他人の持ち物がよく見えるということかな？』

『しかし、いまの話の男、友だちから、そんなこと言われてどう答えていた？』

と、鎌田は聞いた。多少酔っていたためかもしれないが、彼にはその話が妙に刺激的だった。

『笑いながら、「まあ、それは君の自由だからな」なんて……』

そして、その話には後日談があった。最初に話を聞いてから、二週間ぐらい経って、百合江がカウンター越しにささやいた。

『ほら、この前の友だちの奥さんを口説くとか何とか言っていた人の話……』

『ああ、どうなった？』

と、鎌田も小声で聞いた。『その人、いまいるの？』

そのとき、店内には、カウンターの反対側の端に二人連れの客がいるだけであった。それで、ママともう一人の女性は、その客の方に行っていた。

『ううん、そうじゃないの』

と、百合江は首を振った。『家出しちゃったんですって……』

『家出を？　その口説くと宣言した人が……』

『その反対。奥さんとセックスしていないと言った人の方』

『ふうん……。どうして？』

『わからないの。ある日、突然どっかに行ってしまって……。それで、もうひとりの人、困った、困ったって言っていたわ。おれがあんなことを言ったために、世をはかなんだのではないかなんて……』

そのとき、女連れの客が入って来て、その話題は終わりになったのだが……。

鎌田は久しぶりに中札署の石段を上った。駆け出しのころは、毎日何回となく、この石の階段を上ったり降りたりしたものだった。

防犯課のドアを、恐る恐る開けて中をのぞく。なにしろ彼が、警察を回っていたのは、三年前である。そのころの知り合いが、いまもいるかどうか……。

と、鎌田はうしろから肩を叩かれた。

「おい、まだ生きていたのかい？」

顔なじみの熊井警部補だった。鎌田が警察回《さつまわ》りのころは、防犯課の係長だった。

「ああ、熊さん、いまは？」

「あれからずっとここにいるよ」

用を足して来たらしく、熊井はハンカチで手を拭いている。

「それはよかった。ちょっと聞きたいことがあるんだ」

熊井はもう四十を過ぎているはずだった。しかし、警察官に丁寧な言葉遣いをしていたのでは、却《かえ》って仕事がしにくいのだ。

「ほう？　防犯にかい？」

「うん、捜索願いのことでね」

鎌田は、熊井の席まで一緒について行った。

「捜索願い？　さては彼女に逃げられたな」

熊井は相変わらず、口が悪かった。

「いや、彼女には追いかけられて困っているよ。実はね、五十過ぎた人の家出について調べているんだけれど、最近そんな例ない？」

「五十過ぎ？　五十でもう耄碌《もうろく》したって？」

「耄碌？　そんなこと言っていないよ」

と、鎌田は笑った。

「だって、家出したわけなんだろう？　耄碌でもしなければ、働き盛りで家出なんかしないだろう？」

「そうでもないらしいよ。いま、はやっているらしい」

「ふうん……。しかし、ここのところ、そんな話は聞いていないな。もっとも、サラ金から借りまくって逃げているような場合は、家族も捜索願いを出さないからな」

「いや、そういうのではなく、ちゃんとしたサラリーマンが、ある日突然いなくなるといった……」

「さあ……」

熊井は首を振った。「そういう捜索願いは出ていないね。いったい、だれの話なんだ。あてがあるのだろう？」

熊井は、鎌田が何かを握った上で調べに来たと思っているようだった。

「あてはないんだ。古い話なら、耳にしていることがあるんだけれど、最近の実例がないかと思って……」

「ふうん、ほかならぬ鎌ちゃんなんだから、もし知っていれば、出してやるよ。本当にそういう捜索願いは出ていないんだ」

「そう……じゃあ、しょうがない。古い話を聞くよ。おととし、いやその前だろうな。つまり六十年なんだけれど、星野という人がいなくなった事件があったでしょう?」

「星野?」

熊井は考える目つきをした。「星野ねえ。待ってくれよ。半年ばかりいなくなって、あとで出て来た男かな?」

「あ、出て来たの?」

と鎌田は聞いた。

「うん、たしかあの人は星野といったよ。どこかの会社の課長だか、部長で……」

「ああ、多分それだと思う。そう、帰って来たのか……」

「うん、ちょっと待ってくれよ」

熊井は席を立ち、背後の戸棚を見回していたが、やがて一冊の書類綴りを抜き出した。

そして、立ったまま、中を調べ始める。

「うん、間違いない。家出したのは、星野重行、申し立て人は妻の亮子。六十年の十月二十四日に捜索願いが出ているけれど、翌年二月十六日に口頭で、取り下げられている。取り下げの理由は、本人が帰宅したため」

「で、家出の理由は?」

鎌田は、椅子に座った熊井に聞いた。

「そんなことまで、わからないよ。出て来たというので、それはよかったですね、でおしまいだ」

「そんなもの？　出てきたという段階で、事情を聞きに行ったりはしないの？」

「だってね」

と、熊井は書類に目を落とした。「もともと、この家出は、本人のはっきりとした意思に基づいたものだったんだ。犯罪に巻き込まれたとは思えなかったし、警察の出て行くケースじゃなかった。だから、本人が帰って来れば、別に問題はないわけだ」

「しかし……」

鎌田は、言いかけて躊躇《ちゅうちょ》した。星野の友人の泉という人物のことを熊井は知らないのだろうか……。

「え、どうしたんだ？　何か言いたいみたいじゃないか」

「その星野さんの友人が、奥さんを口説いたとかいう話は聞いていない？」

「………」

熊井は、にやにや笑いながら鎌田を見た。

「何です？　ぼくの顔に何かついている？」

「いや、さすが鎌ちゃん、だいぶいろいろなことを知っているらしいな。しかし、おれの口からはこれ以上言えないな。プライバシーに関することだから……」

熊井は書類を閉じた。

しかし、結局、鎌田はその家出事件の大要を知ることができた。

熊井が書類を閉じたあと、鎌田がなおも食い下がっていると、熊井は、

「そうだ、ちょっとトイレに行ってくる」

と、席を立った。しかも、そのあと、ご丁寧にも、

「きょうは、どうもふんづまりでね」

という弁解までもした。これは、便所に行くから、その間に書類を見ておけ、かなりの時間、留守にするつもりだというサインであろう。

鎌田が、新聞に書くつもりはない、古い話を新聞記事にできるはずがない、と言ったので、教えてくれる気になったものらしい。

おかげで、鎌田は書類を見ることができたのだった。

——その当時、星野重行は五十三歳。妻の亮子は四十七歳だった。

捜索願いは亮子名義で出されていた。

重行が家出をしたのは十月七日であった。

この夜、彼ら夫婦の長男で、同じ市内に所帯を持っている貞行が訪ねて来た。

『母さん。何があったのさ』

貞行は亮子の顔を見るなり、叫ぶように言った。

『父さんだよ。さっき電話がかかって来て、しばらく家を出るけれど、心配することはないとか……』

『え？　何の話？』

『家出ってだれが？』

と、亮子は聞いた。

『父さんだよ。じゃあ、母さんには何も言ってないの？』

『何かの間違いよ。お父さんが家出するはずないでしょう？』

最初はこんな状態だったらしい。家出の動機もまったく思い当たらないと、捜索願いには書かれていた。

ところが、重行がその夜ついに帰宅しなかったので、翌日長男の貞行が、父親の勤務先に問い合わせてみると、一週間の休暇願いが出されていた。

しかし、亮子も貞行もその段階では、それほどあわててはいなかった。

重行がこんな形で会社を休み、しかも家族に何の説明もしないというようなことは、それまでにはなかったが、会社に休暇願いを出しているのだから、一週間が過ぎれば、帰ってくるだろう、と考えたらしい。

ところが、予想に反し、休暇の期限が切れても、重行からは何の連絡もない。ついに二週間以上が過ぎたので、二十四日に捜索願いを提出した。家出と捜索願いとの間に、十七日間の隔たりがあるのは、そういう事情だった。

長男に本人から家出の通告があったこと、さらに会社に休暇願いが出ていること、などから本人の意思による家出であることははっきりしている。

それでも、警察は一応重行の会社には調べに行ったらしく、報告書が一緒に綴り込まれていた。それによると、重行の失踪には、使い込みその他の不正の影は一切ないと、会社も明言したようだ。

『犯罪に巻き込まれたと推量する根拠は見当たらない』

と、報告書には書かれていた。

彼ら夫婦には、貞行のほかに娘がひとりいて、東京に嫁いでいたが、その娘のところにも重行は立ち寄っていないし、電話連絡もしていなかった……。

ところが、この捜索願いは、翌年の二月十六日に電話連絡によって取り下げられている。電話をかけて来たのは、長男の貞行で、家出人の重行が、十五日に帰宅したから、捜索願いは取り下げると言って来たのだった。

ちょうど書類を見終わったときに、熊井が戻って来た。

「あ、見たな」

熊井は、鎌田におどけた口調で言った。

「熊さん」

と、鎌田は構わずに話しかけた。「この星野という人、本当に帰って来ているんでしょうね」

「と言うと？」

「だって、電話連絡だけなんでしょう？　それが偽電話だったら……」

「ご心配はありがたいがね。一応会社に電話をかけて、裏は取っているんだ」

「ああ、会社に……。この星野氏は、いまでも同じ会社にいるの？」

と、鎌田は聞いた。

「いや、帰って来た段階で正式に退社したそうだ」

「退職金もちゃんと貰ったのかなあ」

鎌田は、それが気になった。

「さあ、そこまでは聞いてないな。しかし、星野という人は、高校を出てすぐにその会社に勤め、勤めながら大学の夜間部を卒業した努力家で、勤めっぷりもまじめだった。そういう話だから、会社も退職金をちゃんと出したんじゃないかな」

熊井は確信ありげに言った。おそらく、その点についても、調べはついているのだろう。

「ところで、星野氏の友人の泉という人のことは、書類には書かれていませんね」

「泉さん？　ああ、同じ会社の人だね。捜索願いが出されたあとで、弁解に来たんだけれどね……。まあ、いいじゃないか、本人が帰って来ているんだから……」

「弁解というのは？」

鎌田は、熊井の言葉を無視して質問した。

「要するに、さっき、鎌ちゃんが言ったようなことさ。何でも冗談で、奥さんを口説いていいか、というようなことを言ったんだそうだね。星野氏は、それを誤解して、家出したのではないか。友だちに裏切られたために、自殺するつもりではないか、しかし、自分と奥さんとの間には、何のやましいこともない……。まあ、そんな趣旨だったかな」

「で、その点は、熊さんは実際のところどう思いました？」

「いかん、いかん、しゃべり過ぎだ」

熊井は、右手で口にチャックをかける真似をした。

捜索願いによると、星野の長男貞行は、私立香苑女子高校の社会科の教師だという。

鎌田は、市の北側にあるその高校に貞行を訪ねた。

貞行は、父親の家出当時、二十四歳だったから、鎌田とは同年齢の勘定になる。しかし、鎌田は会ってみて、年長者に対しているような感じを受けた。貞行がすでに結婚していて、落ちついて見えるせいかもしれない。

予想どおり、貞行はその話をするのを嫌った。

「もうすんだことですし、完全に個人的なことなんですから……」

と、いかにも苦々しげに言った。

「ええ、そこのところは十分にわかっています。しかし、いま、中高年層の家出が社会問題化しているのはご存知でしょう？　それで、参考のために、星野さんの場合はどういうことだったのか、お聞かせいただきたいとおもって……。参考のためですから、星野さんの名前を新聞に載せるようなことは、絶対にありませんし、ご迷惑はかけないつもりです」

と、鎌田は粘った。実際に、書けなくてもいいと思っていた。彼は、この奇妙な家出事件に仕事を離れた興味を感じ始めていたのである。

「おやじのケースは、中高年層の家出というのとも、違っているんじゃないですかね」

貞行は、社会科の教師だけあって、やはりそういう問題には、一言あるようだった。それが、鎌田のつけ目だった。

「と、おっしゃいますと……」

と、鎌田は聞いた。

「おやじは、家出の真相を、しばらくの間、しゃべらなかったんですよ。いや、いまでもあるいは、本当のことを言っていないのかもしれない。ただ、おやじに言わせると、あれは出稼ぎだったということになるんです」

「出稼ぎですか？」

「そう。本当かどうかわかりませんが、相模原の絵描きさんの家に留守番に行っていたというんですよ。しかし、これは絶対に秘密にしておく約束だったので、これ以上は聞かないでくれと……」

「留守番ですか……」

鎌田は、聞き返した。あまりにも意外な説明だった。

「ええ、そこのご夫婦が海外旅行に行くので、その間の留守番を頼まれたとか……」

「しかし、出稼ぎといっても、星野さんは、ちゃんとしたお勤めがあったのでしょう？何も留守番に行かなくても……」

「ええ、だれでもそう思うでしょうね。だから、わたしは、いままで、この話は人にはしていないのです。ただ、おやじがその留守番で、かなりの報酬を貰って来たことは事実なんです。これは税務署に知られると困るのだけれど、いま、おやじは喫茶店のマスターをやっていますが、その開店資金を稼いできたのですから……。何でも月給が、二百万円という話なんですよ。会社の方はもうすぐ定年だし、先も見えているから、アルバイトをする気になったんだ。わたしにはそんな説明をしています」

「二百万円ですか……」

鎌田は首をかしげた。仮にその話が真実だったとして、留守番にそれだけの金を払うとはどういうわけだろう……。

「どう思います？」

と、貞行が聞いた。「実は、わたしも半分は信じていないのですよ。しかし、おやじが言いたくないのなら、それ以上追及してもしょうがないことですしね。女房なんかは、お義父《とう》さんは宝籤《たからくじ》が当たったんじゃないかなんて言っていましたが……」

貞行は口をゆがめて笑った。

「宝籤ですか?」

「いや、そう考えると一応のつじつまは合うでしょう? 宝籤が当たったので、しばらく、家庭も忘れて自由を楽しんできた。そして、余った金で、喫茶店を開いた……」

「なるほど……。お父さんは、ふだん宝籤を買ったりなさっていたのですか?」

と、鎌田は聞いた。

「ええ、おやじの唯一の道楽でした。非常にまじめで、麻雀や競馬のような賭けごとはしないし、ゴルフなどのスポーツにもあまり興味がない。碁や将棋もだめ。たまに気の合った友だちと酒をのんでストレスを解消していたようですが、あとは宝籤で……」

「気の合った友だちというのは? 泉さんなんかがそうですか?」

「え? ええまあ、昔はよく一緒に飲んでいたようですね」

貞行は、横を向いて答えた。明らかに表情が変わっていた。

「というと、いまはお付き合いしていないのですか?」

泉の名前が出たときの貞行の反応に、鎌田は疑問を持った。

「さあ。とにかく、おやじのことはそっとしておいてくれませんか……。お願いします。」

貞行は、そう言うと、あとは口を堅く閉ざしてしまった。

「ははあ、貞行がしゃべったんですか。あいつ、案外おしゃべりなんだな」

『珈琲亭』というう喫茶店のカウンター越しに、星野重行は笑った。『珈琲亭』の場所は、言い渋る貞行から、無理に聞き出したのである。

「それで、留守番という話はどうなんです。貞行さんも半信半疑のようでしたが……」

「いや、本当なんですよ。あいつは、なまじ社会科の教師などをやっているものだから、どうしても物の見方が常識的になるんでしょうね。わたしの話を頭っから、あり得ないと決めてかかっているんだ」

星野は、想像以上に若く見えた。ベレーをかぶっているから、頭髪の具合はわからなかったが、顔の皮膚などはつやつやしている。

「それで、マスターはどこで、その留守番の話を聞いたんです？」

「本当は、一切しゃべらないという約束だったんですよ。だから、家族に事情も告げずに姿を隠したわけで……。しかし、まあいいでしょう。もう時効だろうから……」

星野はそんな弁解をしてから、話してくれた。彼としても、だれかに聞いてもらいたかったのかもしれない。

——その年の九月末、星野は地下鉄大通り駅のフォームで、四十前後の男に声をかけられた。不思議なことに、彼は星野の名前をちゃんと知っていた。

月給二百万円でアルバイトをしないか。仕事の内容は、留守番で何もむずかしいことはない……。

「その人は、服装などもちゃんとしているし、言葉も丁寧でしたね。だから、わたしもまともに相手になったわけで……。不思議に思いながらも、話を聞くと、どうもいい加減な話でないみたいなんですね」

「それまで、全然会ったことのない人なのですか？」

「そう、少なくとも、わたしには記憶がなかったね。ところが、向こうさんはわたしのことをよく知っていた。それで、この人なら大丈夫だと狙いをつけたのだとか……」

「それで、すぐにその話に乗る気になったのですか？」

と、鎌田は聞いた。内心では、星野の話を信じてはいなかったが、とにかく聞くだけは聞いてみようと思っていたのだ。

「いや、すぐということはないよ。しかし、考えてみると、会社はじきに定年だし、有給休暇もだいぶ残っている。わたしがいなくても、会社の業務に差し障りはないだろう。そんなこんなで、ひとつやってみようかという気になったんですよ」

その相模原の家は、旧農家風のかなり大きな造りだった。しかし、留守番といっても、ずっとそこにいる必要はなく、ふだんはホテルにいて、週に一度くらいのわりで、そこに行けばいいのだという。

「ホテルですか？」

鎌田は、首を捻った。「そのホテルはだれが借りたのです？」

「もちろん、向こうさんですよ。新宿のビジネスホテルだけれど、一応借りっ放しになっていました」

「仕事はそれだけですか？」

「ああ、一度成田空港に見送りに行きましたね」

「見送りって、だれを？」

「その絵描きさん夫婦です。もっとも、ご亭主の方は、さきに出発したとかで、実際には奥さんの荷物運びだったけれど……」

「それで、絵描きさん夫婦は、それ以降翌年の二月まで帰ってこなかったのですか？」

「いや、二月にはまだ帰っていなかった。ただ、最初の約束が、二月中旬ということだったし、ホテルの契約が切れた日に、わたしは帰って来たんです」

「有名な絵描きさんですか？」

「さあ、わたしはその方面の知識がないから……」

と、星野は笑った。

「ところで、星野さんと同じ会社に泉さんという方がいましたね？　いまでも、お付き合いはしていますか？」

「ああ、彼は今は役員になっています。わたしと違って優秀だから……」

星野は、ピントはずれの答えをした。

「それから、いま、奥さんは？」

「え？　ああ、それも息子から聞いたんですか？」

星野は、微妙な笑いを見せた。

「いや、そのことは何も……」

「しかし、わざわざ質問したところをみると、だいたいのことはわかっているんでしょう？　いま、彼女は泉君と一緒にいます」

「ははあ……」

鎌田は、とっさに言葉が出なかった。星野が、あまりにも平然と言ってのけたので、あっけに取られたのでもあった。

「どうしました？」

と、星野が聞いた。

「いや、なるほどと思ったんです。マスターは優しい人なんですね」

「優しい？　どういうわけです？」

「いや、どうもいろいろ……」

鎌田は、スツールからからだを滑らせた。


『そこで、つぎに泉仁一郎という人物について取材しました』

と、鎌田は『女性樹氷』編集部宛の報告書に書いた。

『泉氏は、星野氏とほぼ同年齢で、社歴もほとんど変わりませんが、東京の城南大学を卒業し、同社ではエリートの道を歩んで来たようです。従って、星野氏が失踪当時、まだ課長だったのに対し、泉氏はすでに部長になっていました。

ただ、職場におけるそのような職階の差にもかかわらず、個人生活では、二人はほぼ対等の付き合いをしていたようです。これは、若いころから、互いに家族ぐるみで交際していたためかもしれません。

家族ぐるみと書きましたが、泉氏の夫人は、急性心不全のため、五十九年に死亡しております。従って、それ以後は、ときどき泉氏が星野家に招かれ、亮子夫人の手造りの料理をご馳走になるという形だったようです。

以下は想像ですが、こうした付き合いを通じて、泉氏は亮子夫人に好意を抱き始めたのではないでしょうか。亮子夫人には取材を拒否されましたが、ちょっと会った印象では、四十台後半とは見えない若々しさで、しかも色白のなかなかの美人です。妻を失って独身生活を送っていた泉氏が、友人の夫人である彼女に女性を感じたとしても不思議はありません。因《ちな》みに泉氏は、こどもがいなかったので、文字通りの「ひとりぼっち」でした。

さて二人の男は、ある日、いつものようにバー・サミットで飲んでいました。話題がセックスのことに及び、星野氏が夫人とはずっと性生活をしていないことを述べ、それに対して、泉氏が「それでは奥さんがかわいそうだ」と言いました。

「かわいそうと言っても出来ないものはしょうがないよ」

「じゃあ、おれが口説いてもいいか？」

といった会話があったようです。

これによって、星野氏は、泉氏の亮子夫人への気持を知ったのではないでしょうか。いや、前から薄々感じていたのが、この会話ではっきりしたと考えたのかもしれません。

一方、彼は以前から、セックスができないことで、女盛りの妻にすまないという気持があった。そこで、いっそのこと、妻を友人に譲ろうと星野氏は考えたのではないでしょうか。

しかし、そんなことは、たとえ夫婦の間でも言いにくいことです。また、言ったところで、夫人はもちろん、泉氏にしても、「では好意に甘えて……」とは行きません。それはわかりきったことです。

そこで、星野氏は一計を案じた……。つまり、自分がある期間姿を隠す、言い換えれば夫人を捨てるという形を取ることによって、泉氏並びに夫人の双方に存在している心理的障害を取り除いてやろう、というわけです。

これが、星野氏の一時的失踪の理由ではないでしょうか。

私がそう思う根拠は、星野氏の「打ち明け話」が、あまりにも現実離れしているからです。それに、星野氏は、彼に留守番を依頼したという絵描きの氏名をついに明かしてくれませんでした。

「新聞社の人に話すと、取材に行く恐れがあるから……」

それが、星野氏のあげた理由です。

「取材に行っては困るのですか？」

と、私は聞きました。

「それはそうですよ。あの人たちには、わたしの経験を絶対に話さないという約束になっているんです。新聞記者が訪ねたりしたら、わたしが約束を破ったことがばれてしまう」

彼は、そう答えましたが、本当の理由は、そんな絵描きさんなど現実にはいないため、名前を出すことができないのだろうと思います。

私は現在、ひそかに星野氏を「優しい男」と呼んでいますが、以上の私の推理を読めば、この呼び方にはだれも異議を挟まないだろうと信じています。

お手紙にあった「中高年層の家出・失踪」というテーマとはいささかずれるかもしれませんが、変わった実例として、ご報告いたします……』

この報告書を出して数日後、鎌田は『女性樹氷』編集部の米山から封書を受け取った。

その封書の中には、明らかに星野と思われる人物の正面向きの写真と、『この手紙が着き次第電話されたし』という文面の手紙が入っていた。

鎌田は不思議に思った。なぜ、米山が星野の写真を持っていたのか……。社の電話を使うと、人の耳を気にしなければならないので、鎌田は一旦アパートに帰り、そこから東京に電話をかけた。

「ああ、どうだった？　あの写真……」

米山は、ダイヤルインの電話に出るなり、いきなりそう言った。

「ええ、驚きました。あの写真はどうやって手にいれたんです？」

「驚いたというところを見ると、あれは星野氏に似ているんだな？」

米山は、念を押すように叫んだ。

「そんなに大きな声を出さなくっても聞こえますよ。それから、いま米山さんは似ているという言葉を使いましたね？　すると、あれは星野さんではないのですか？」

「ははあ、そんなに似ているか……」

米山は満足そうだった。「とすると、大スクープになるかもしれないぜ」

「スクープですか？　しかし、星野氏の一件は、できることなら記事にしたくないのですが……」

なにしろ、妻を友人に譲ったという話である。よほどうまく書かないと、スキャンダラスな記事になってしまう。いや、うまく書いたところで、読者はのぞき見的な興味でそれを読むだろう……。

「いや、順を追って説明するよ。相模新報という神奈川県で発行されている新聞があるんだ。そこの記者にも、うちの特別取材モニターになってもらっているんだ」

「ええ……」

鎌田は、警戒しながら聞いていた。人を説得しようとするとき、遠くの方から攻めるというのが、米山の常套手段だった。

「当然、今回の依頼書は彼のところにも行った。そして、彼からのレポートは相模原の大地主の失踪事件を書いて来たものだった」

「相模原ですか……」

鎌田は眉をひそめた。相模原というと、星野が留守番に行ったと称している絵描きの家があるところだ……。

「そう。そこの奥さんが、六十年の十月から翌年の五月まで、パリにファッションの勉強に行っていた。そして、帰国してみると、彼女の夫がいなくなっている。それで、捜索願いを出した……。つまり、ここまでは中高年層の失踪の一例というわけだ」

「その地主さんというのは幾つなんです？」

と、鎌田は聞いた。

「名前は池上孝男で五十四歳だ。妻の美恵は三十二歳。後妻さんだそうだ」

米山はメモを読んでいるらしく、受話口から紙の音が聞こえた。

「所轄署では、捜索願いを受理すると、一応捜索はしたらしい。なにしろ資産十数億という地主の失踪だから、犯罪の可能性も考えなければならなかったんだ。しかし、その当主が二月の初めころまでいたという証言はあるのだけれど、それ以降の目撃者が、出て来ない。それで、交通事故の被害者の洗い直しまでやったらしい」

「……」

鎌田は黙って聞いていた。軽い興奮が、彼の内部に波を立て始めていた。

「ところが、近くの山林が、宅地に造成され、その工事中に腐爛死体が出て来た。だれの死体だと思う?」

「池上というその地主さんですか?」

「当たり……」

と、米山は言った。「着衣の切れ端、及び歯の治療あとから、それが確認された。それが、おととし六十一年の夏で、鑑定によると、死後半年から一年が経過しているとされた。つまり、相模新報の記者は、『理由なき失踪者の中には、殺されている者もいる』という実例として、このことを報告して来たんだ」

「ええ、それであの写真なんですが……」

その鎌田の言葉を遮るようにして、米山が言った。

「うん、君に送ったのは、池上氏の写真なんだ。君の報告を読むと、相模原という地名が出て来たし、海外旅行の話もある。そして、時期的にも、共通点がある。ことによると、と考えて、池上氏の写真を取り寄せ、君に送ってみたんだよ」

「すると……」

「うん。実は警察も、妻の美恵を疑っているらしい。しかし、二月までは池上氏は生きていたわけだし、彼女が帰国してから殺したとも周囲の状況から考えにくい。それで、じっと泳がしているという状態だった」

「しかし、彼女の外遊中に共犯者が殺すという手もあるでしょう？」

「うん、しかし、共犯と目される彼女の愛人も、彼女と一緒にパリに行っていたんだ。ところが、そこに君の報告が届いた。星野さんは池上氏とよく似ているらしい。となると、結論はただひとつだよ。星野さんは、池上氏の影武者として、使われたんだろう」

「じゃあ、彼も共犯なんですか？」

と、鎌田は聞いた。

「いや、そうじゃないだろう。恐らく、美恵の愛人が札幌で偶然星野氏を見かけ、そこからこの計画を立てたのじゃないかな。つまり、池上氏は美恵がパリに立つ前に殺されていた。しかし、星野さんの姿がときどき相模原に現れたので、それを見かけた人たちは、池上氏がいないことに気がつかなかったというわけだろう……」

「ははあ……」

「どうしたんだい？　不満そうだな」

「不満というのではないけれど、星野さんの優しい男というイメージが……」

「いや、やっぱり彼は優しいんだよ。君の推理のように、亮子夫人は泉氏がちゃんとやってくれるだろうと考えたからこそ、たまたま、持ちかけられたこの話に乗ったのだろうから……」

米山は、慰めるように言った。

夢の足

頭が痛い。いや、痛い気がするだけかもしれない。このごろは、朝、目覚める直前に、いつもこんな感覚に襲われる。

藤木貴子は、こめかみを指で強く押すようにしながら、目を開いた。

周囲は、気持悪いほど明るかった。寝室の窓が東に面しているため、日が差すのは早いが、それにしても、この明るさは……。

貴子は、あわててベッドテーブルの時計を見た。

八時十八分。まだそんな時間か。ちょっと意外だった。部屋の明るさから見て、もっと寝坊をしてしまったのか、と思ったのだが。

隣りのベッドが空なのに気づいた。では、夫の亮伍は、もう起きて——。

そうか、亮伍はきょうはゴルフだった。

ゴルフの日、彼は、不思議なくらい、ちゃんと目を覚ます。別に目覚し時計をかけているわけでもないのに、出発予定の一時間前にはベッドをはなれ、勝手に朝飯をとって、出かけて行く。

『お前だって、コースに出るようになれば、前の晩から寝られなくなるよ』

と、亮伍は言っているが……。

貴子は、そんなことを思い出し、続いて自然に「彼」を連想した。このごろは、何かにつけて「彼」に思いが行く。

きょうは、と貴子は思った。「彼」は休みのはずだから、会う時間を作ってくれるだろう……。

貴子は、ベッドから降り、ネグリジェの上に、薄物のカーディガンを羽織った。亮伍が家にいるときは、こうはいかない。彼は、妙なところが几帳面で、彼女がネグリジェ姿で、居間をうろうろするといい顔をしない。彼自身も、朝は寝室でちゃんと身づくろいをしてから、居間に現れる。

あらっと、貴子は眉をひそめた。ベッド脇のワゴンに亮伍の衣類が、納まったままになっている。

では、亮伍はまだ着替えをしていないのだろうか。

「あなた……」

と、大声で呼んでから、耳をすました。階下からは、何の返事もなかった。

ワゴンの衣類を手に取ってみた。ブルーのゴルフウェアー、そして白のゴルフパンツ、昨夜、亮伍が自分で用意したものだった。

じゃあ、気が変わって、別の服を着て出たのだろうか。

貴子は、階段を降り居間に移った。今風に言えば、リビングなのだろうが、亮伍が『居間』と言うので、貴子もそう呼ぶようになった。居間と廊下を区切るガラス戸は、いつも開けたままになっている。

ところが、そこでも、意外な物が目に入って来た。ゴルフ用のボストン・バッグ。キャディ・バッグとセットになったブランドものだった。

貴子の胸に小さな波が立った。しかし、不安ではなく、不審の波であった。

急いで、ボストン・バッグを開けてみる。

シューズケース、下着、帰りの着替え、帽子までちゃんと入っている。明らかに忘れて行ったのだ。いまごろ、ゴルフ場であわてているのではないか。

「あわて者なんだから……」

と、口にして、それも変だなと思った。

亮伍は、決してあわて者ではなかった。どちらかというと、慎重な性格で、だからこそ、ゴルフの用意は、前の晩に整えておくのだろう。外出の前にも、忘れ物がないか、身の周りを点検する癖さえある。

こんな大きな忘れ物をするとは、考えられなかった。

貴子は、予感めいたものに突き動かされ、玄関まで急いだ。

靴用戸棚にゴルフのキャディ・バッグが立てかけられていた。そればかりではない。外出用の亮伍の黒い革靴まで、そこに残っていた。

では……と考え、貴子は改めて家の中を見回した。

貴子は、真っ先にトイレを考えた。まさか、トイレで倒れているのでは……。四十歳。

脳溢血に襲われる年齢《とし》でもないし、そんな体型でもないが、万一ということがある。

しかし、トイレのドアはちゃんと開き、中にはだれもいなかった。

続いて、浴室……。そこにも亮伍の姿は見えなかった。

貴子は、居間の窓際に走った。窓越しに、カーポートが見渡せる。

やっぱり……と、彼女は思った。アイボリー色の車は、そこに残っていた。

ふと、頭の中でひらめき、彼女は、もう一度玄関を調べる気になった。

思った通り、一つだけ見当たらないものがあった。亮伍のサンダルだ。彼女自身の赤いサンダルは、隅の方にこぢんまりと置かれてあった。

反射的に玄関のドアを見ると、昨夜かけておいたドアチェインが外され、鍵もかけられていなかった。

彼女は、赤いサンダルに足を突っ込み、からだを伸ばすようにして、ドアを押し開けた。脈拍が早くなっているのが、自分でもはっきりとわかる。サンダルをつっかけて新聞を取りに出た亮伍が、そこで異変に遭い……。そんなことを考えたのだ。

玄関の外で倒れている亮伍を、彼女は想像した。

しかし、そこにも、亮伍の姿はなかった。さらに、郵便受けには、ちゃんと折り畳まれた新聞が、いつもの朝のように入っていた。

首をかしげながら、玄関に戻ると、電話のベルが聞こえる。サンダルを脱ぎ捨て、彼女は居間の電話に走った。

「はい、藤木でございます」

と、喘《あえ》ぎながら言った。

「あ、奥さんですか？　白河です」

「お早うございます。主人がいつもお世話になっておりまして……」

亮伍は、『白河プロ』という編集プロダクションに勤めている。カメラマンとして、そこに入ったのだが、渉外まで手伝わされると、亮伍はいつもぼやいていた。白河というのは、そこの社長だった。

「いや、こちらこそ……。わが社は、藤木君で持っているようなものですから……。ところで、きょうのゴルフのことはご存じでしょう？」

「はあ……」

と、だけ貴子は答えた。では、きょうのゴルフは『白河プロ』の連中とだったのか。

「それで、彼は何時ごろ出ました？」

「はあ、それが……」

どう答えるべきか、とっさに判断できず、貴子は言葉を濁した。

「え？　彼がどうかしたんですか？」

白河が怪しんで聞いた。

　貴子の中に、あることが蘇《よみがえ》った。頭が素早く回転した。「すみません。ゆうべ急に、親類に不幸がありまして……」

「え？　じゃあ、彼はこっちに向かっているのではないの？」

　白河の口調がぞんざいになった。

「すみません。ゴルフ場に連絡するように、主人に言いつかっていたのですが、どうも電話番号を聞き違えたらしく、いくら電話しても通じなかったのです」

「あ、そう……。いや、もう来るか、もう来るかと、クラブハウスの前で、ずっと待っていたんです。まあ来ないことがはっきりしたのだから、あとはこちらで……」

　それだけ言うと、白河は電話を切った。貴子の『失礼しました』という言葉は、恐らく白河の耳には達しなかっただろう。

　貴子は溜息をついた。

　そのまま、テーブルの前の椅子に腰をおろす。

『近いうちに、藤木君の身に、ちょっとした事件が起きるかもしれないけれど、お貴は心配しなくていいから……』

　三日前、貴子は「彼」にそう言われた。白河との電話の途中に、それを思い出し、だから、懸命に知恵を絞って、あのような答えをしたのであった。

　きょうのことが、「彼」の言った『ちょっとした事件』なのだろう……。

もちろん、「彼」にその話を聞いたとき、貴子は聞き返した。

『事件て、どんなこと？』

『いや、お貴は、なまじ知らない方がいいんだ。ただ、彼が危ない目に遭うようなことは、絶対にない。そのことは、おれが誓うよ』

『本当？ 大丈夫なのね？』

貴子は、「彼」の胸毛を指でもてあそびながら、念を押した。

『ああ、彼はおれにとっても、大事な友だちだから、変なことには巻き込まないよ』

それが「彼」の答えだった。

もし、きょうのことが、その『ちょっとした事件』なのだとしたら、そのうち「彼」から、電話か何かで連絡があるだろう。その連絡が来るまでは、じっとしていよう。

貴子は、コーヒーをいれに立った。

ことによると、亮伍は、あのとき出て行ったのかもしれない……。そう思いついたのは、コーヒー・メーカーが、音を立て始めたときであった。

あれは……、そう二時ごろだった。

貴子は、ベッドの中で、目を覚ました。隣りのベッドから、夫が降りようとしていた。あるいは、その気配で目が覚めたのかもしれない。

『あ？ どうしたの？』

『いや、トイレだ』

『ああ、いま何時かしら？』

『二時ちょっと前』

亮伍は、そう答えて、寝室を出て行った。

そのあとのことは、はっきりとは覚えていない。恐らく、すぐに目を閉じてしまったのだろう。翌日「彼」と会えるはずだった。だから、夫に求められるのを恐れる気持が、彼女にはあったのだ。

そして、実際に亮伍がトイレから帰って来たかどうか、貴子は知らなかった。

まさか、あのまま、亮伍がどこかに行ってしまったということではないだろう……。

「待って」

と、彼女は口に出して言った。亮伍はどんな格好をして出かけたのだろう。

貴子は、二階に上がり、寝室のクローゼットを調べた。ざっと見たところ、なくなっている服はない。

ところが、いつもは朝着替えたあと、ワゴンに置いておく習慣のパジャマがそこに見当たらなかった。

そのことが、貴子には妙に気になった。再び階下に降り、洗濯機の中をのぞいてみたが、亮伍のパジャマは入っていなかった。

どうしたのだろう。いくら何でも、パジャマにサンダルという格好で、外出したとは考えられないが……。

もっとも、亮伍については、結婚後八年経ったいまでも、貴子にはわからないことがある。

大学は法学部を出て、一応は司法試験を目指したこともあるという。だが、その途中にゴルフを覚え、プロゴルファーに転向する気になったが、それも挫折。学生時代から、カメラが好きだったので、結局カメラマンとして、しばらく雑誌社に勤めた。しかし、そこで上司と喧嘩して退社、一旦はフリーになったのだが、うまくいかずにいまのプロダクションに入った。貴子と結婚したのは、フリーのころであった。

高輪《たかなわ》の高級マンションに住んでいたから、売れっ子カメラマンなんだろうと思っていたが、そのマンションは父親から相続したというだけで、彼が稼いで買ったものではなかった。

去年、都内のマンションが値上りした機会に、そこを売って、郊外に現在の建売住宅を買った。

しかし、司法試験を目指したとか、プロゴルファーになろうとした、とかいう話は、結婚前に聞いたことだから、どこまで、本当だかわからない。

法律家を志したにしては、マンションの売買に伴う税金のことなども、よく知らないようだった。

現在も、『白河プロ』からの収入だけでは、生活するのが、せい一杯だろう。週四日、貴子が自宅で近所の中学生たちに英語を教え、さらに彼女の両親からの援助もあるため、比較的楽な生活が送れているのだ。

それでいながら、亮伍はいまだに、やがて個展を開いて独立するなどと言っている。

＊　　＊　　＊

千葉県警鳩浦署に、鳩浦観光ホテルから、

「パジャマ姿の男を保護した」

という電話がはいったのは、午前八時半ごろであった。

鳩浦市は、房総半島の南部、太平洋に面している。十数年前に市制がしかれ、人口は四万一千。もともとは漁港、漁師町だったが、最近では海水浴場、避寒地として知られるようになり、リゾートホテル、別荘なども建っている。

それら各種リゾート施設の中の代表が、鳩浦観光ホテルと言っていいだろう。プールを二面持ち、専用の海岸もあった。とくに家族用スイートルームは、夏の間は予約をとるのが大変だと言われている。

「パジャマ姿？　この町の人ですか？」

と、電話をうけた係官は聞いた。

「いや、住所は東京だそうですが、話に妙なところがありましてね。参っているんです」

「東京？　じゃあ、観光客だね？」

「と思うのですが、本人は何も覚えていないというのです」

となると、何かの事故に遭い、一時的に記憶喪失になった疑いがある。

鳩浦署からは、刑事課の田部・大和の両刑事が、観光ホテルに向かった。二人のうち、田部は部長刑事である。

ホテルにつくと、支配人室にその男を保護しているという。

そこに行く前に、男を保護することになった事情を聞くことにした。

彼を発見したのは、近くの寮に住んでいるベルボーイであった。

彼のこの日の勤務は、八時からなので、七時半ころ、駆け足でホテルに入った。駆け足だったのは、運動のためだった。彼は毎朝、ジョギングのつもりで、寮からホテルまで駆け足をしているという。

彼が従業員用のゲートを通りかかったとき、視界に、青いものが入った。足を止めて目を凝らすと、植込みの間から、這い出すように人間が姿を現した。

『お客さま、どうされました？』

と、彼は聞いた。パジャマにはところどころ泥らしいものがついており、うさん臭い感じもしたが、客商売だけに、丁寧な言葉遣いをしたのである。

ところが、男の方から、彼に質問して来た。

『すみません。ここはどこですか？』

『どこって、観光ホテルの裏口ですよ』

『観光ホテル？　どこの観光ホテル』

男は、心細そうに聞いた……。

「これは、どうも少しおかしいと思ったのは、そのときです。それで、すぐに副支配人に報告し、支配人室で休んでいただくことにしたんです」

と、発見者のベルボーイは説明した。

二人の刑事は、そこで支配人室に案内してもらった。

その男はブルーのパジャマ上下、それにサンダル履きだった。椅子に掛けているが、脚は長そうである。

「立てますか？　もし立てたら立ってみて下さい」

と、田部は言った。運動機能のどこかに異常がないか、さらに全体のからだつきなどを観察するのが目的であった。

男は、一瞬眉を寄せたが、すぐに言われた通りにした。活発な動きではないが、と言って、どこかに支障があるという印象も受けなかった。身長は一メートル七五センチぐらいはありそうだ。背が高くしかも、筋肉質の健康そうな体格である。

ことに、顔が漁師のように黒かった。

「ゴルフをやっているようですね」

大和が、田部にささやいた。男の左手だけが日焼けしていない。そこに注目したのであろう。

「鳩浦署の者です」

田部は警察手帳を示した。「まずお名前から……」

「徳島と言います。徳島修平。住所は東京都品川区東五反田……」

徳島と名乗った男は、そこまでは自信たっぷりに答えたが、そのあとは、悲しげな表情で言った。「年齢は四十歳だと思います」

「それで、こちらには、ひとりで？」

と、田部は聞いた。

「いや、それが……」

男は、眉を極端に寄せた。「よくわからないのです。どうも頭の中に霧がかかっているようで……」

「わからないんですか？　それで東京を出たのは、いつですか？」

「さあ……」

と、首をひねる。「とにかく、気がついたらホテルの裏にいたわけで、それ以前のことは、どうも……」

「からだのどこかが痛いというようなことはないですか？」

田部は、質問の間じゅう丁寧な口調を崩さなかった。

左手だけが白いことなど、どうも普通の浮浪者とは違う、という感じがしたのである。

田部は、だいたいのことを刑事課長に報告したあと、『徳島修平』を車に乗せて、上原病院に連れて行った。

上原病院は、もともとは内科だったのだが、やがて外科や脳神経科と、診療科目が増やされ、いまでは人間ドックも扱う大病院になっている。院長の上原仁吉は、県警の嘱託医でもあった。

一般に記憶喪失には、外因性のものと心因性のものとがあるが、『徳島修平』の場合は、どこにも外傷が見当たらず、恐らく心因性のものだろう、というのが上原及び息子で副院長の上原仁介の説明だった。

「ただ、これがただちに原因とは言えないでしょうが……」

と、仁介副院長は、注目すべき事実を明らかにした。「この人の尿から少量の睡眠薬が検出されています。本人に聞いたところ、飲まされたものか、自分で飲んだものか、まったくわからないということですが……」

そして、『徳島修平』は、体力的にはそれほど弱っていないから、二、三日入院すれば、退院しても差し支えない。それが、上原の診断だった。

『徳島修平』の身元は、田部が上原病院から署にかえったときには、すでにわかっていた。

「名前に関しては、記憶がしっかりしていたようだ。どうも、彼自身が口にした徳島修平というのが彼の名前らしいよ」

と、刑事課長の村瀬が教えてくれた。

「住所は？」

「それも、本人の言葉通りだ。県警を通じて照会した回答が、五反田署から来ている。去年の四月、捜索願いが出されていた」

「去年の四月ですか？」

と、田部は呆れながら聞いた。「一年四カ月も前じゃないですか？」

「そうなんだがね。これが、捜索願いにつけられた写真だ。警視庁から電送して来た」

村瀬は、写真を田部に差し出した。

「ははあ……。髭がはえていますね」

それが、最初に田部の口にした言葉だった。

写真の男は、鼻の下と耳から顎にかけて、黒々とした髭をはやしている。だが、観光ホテルで見つかった『徳島修平』には、このような髭はなかった。

「どうだい？」

田部は、写真の髭の部分を隠して大和に見せた。

「君はどう思う？」

「似てますね。本人でしょう」

大和は言下に断定した。「目や眉、それに耳なんかそっくりです」

「課長、この徳島修平氏に家族は？」

「奥さんがいる。捜索願いは奥さんから出されていた。美容院の経営者だそうだ。こどもはいない」

「徳島氏の職業は？」

「家出当時は、ガードマン会社で警備員をしていたそうだ」

「家出当時というと、それまではほかの仕事をしていたんですか？」

「仕事は転々と変わっていた。あきっぽいんだろうな」

「それより、例の『髪結いの亭主』という奴じゃないんですか？　奥さんが美容院で稼いでくれるのなら、何も苦労して働くことはないでしょうから……」

「それにしても一年四カ月もどこに行っていたんでしょう？」

と、大和が首をひねった。

「そのことだがね。五反田署から知らせが行ったとき、奥さんは女と一緒なんでしょう、と言ったそうだ。案外、その線ではないかな。そして、今度は女に捨てられた」

「じゃあ、記憶喪失というのは、狂言かもしれないと……」

「うん。そんな可能性もある、とわたしは睨んでいる。女に捨てられ、真っ直ぐ家に帰るのは体裁が悪い。それから、かみさんにあれこれ追及されるのもいやだ。そこで記憶喪失という手を考え出した……」

「なるほど……」

と、田部はうなずいた。「上原先生の診断では、外傷もないそうだし……」

「しかし……」

大和は、その見方に賛成できないようであった。「あの、いかにも困ったような表情が芝居でしょうか……」

たしかに、

『まったく、何が何だかわからないんです』

と、言ったときの徳島の表情は、心細くてしかたがないという感じであった。芝居と決めつけてしまうのも、早計かもしれない。

＊　　＊　　＊

「岸さんも髭をはやせばいいのに……」

いつものように、岸哲雄から乱暴なキスを受け、そのあと唇が離れたときに、貴子は言った。

「ふうん。旦那に髭で刺激されるのってそんなにいいものなの？」

「ばかねえ」

貴子は、わざとはすっぱに言った。「そんな意味じゃないわ」

二人がいつも使うモーテルの一室だった。

この日、岸から電話がかかって来たのは、昼過ぎであった。

そして、いつものように、貴子はわざわざバスで終点まで行き、そこで岸の車に乗り換えて、このモーテルまで来た……。

岸は、貴子の家の近くにあるゴルフ練習場でレッスンプロをしている。だから、家まで迎えに来てもらうのは、知った人に見られる危険があった。近所には、ゴルフの練習場に通っている奥さんたちも、何人かいる。

貴子が、岸と初めて顔を合わせたのは、去年の三月ごろだった。

日曜日に、ゴルフの練習に行った夫の亮伍が、六時ごろ、岸を家に連れて来たのだ。

『奇遇なんだ。練習場に行ったら、彼がいるんだよ。こいつは、高校の二年後輩でね。たまたま家が近くにあって……。ほら、司法試験の受験勉強中にゴルフをやり始めたという話をしたことがあるだろう？　そのとき、おれにゴルフを教えたのがこいつなんだ。ところが、彼、今月からあの練習場の専属になったんだって……』

その日、夕食を一緒にした。岸は話題が豊富だった。貴子は、そのころ、ゴルフにそれほどの関心はなかったのだが、それでも、プロゴルファーの内幕話などは、聞いていて楽しかった。

『そうだ、奥さんもゴルフをしませんか』

と、その食事のときに岸が言い、貴子が練習場に通うようになったことで、いまの関係が始まったのだった。

岸は、教え方が上手だと、練習場通いの主婦たちに評判がよかった。話術がうまく、いろいろなたとえ話を交えて教えてくれるから、わかり易いのだという。

『この前、ここにいたプロなんて、口で説明しないで、すぐに手を持ったり、腰を触ったりいやらしかったわ。それで、あっちの方までレッスンして、それが評判になって、首になったんですって……』

と、教えてくれた奥さんもいた。

その岸が、一度だけ、貴子の腰に手を当てて教えてくれたことがある。

しかも、彼は貴子の耳元でささやいた。

『ああ、奥さん、腰の使い方が上手だ』

その彼のささやきが、妙な連想を呼び、全身から、力が抜けて行くような感じを、貴子は受けた。そして、岸は貴子のそんな変化をちゃんと見破っていたらしく、彼女の帰りがけに、近寄って来て、

『こんど一度外で会いたいな』

と、小声で言った。

貴子は、その誘いに応じた。主婦の間で岸の評判がいいこと、その岸から誘われたということが、彼女の自尊心をくすぐったのかもしれない……。

「悪い人ね」

貴子は、息を整えながら言った。それは、初めて岸に抱かれたときに口にしたせりふ

でもあったが、その後、彼とのことが終わると必ず、貴子の口をついて出て来る……。

「そうかなあ、おれ、そんなに悪いかな」

「悪いわよ。先輩にゴルフの魅力を教えて、司法試験を諦めさせたり、つぎには、その先輩の奥さんを誘惑したり……。あたしたち夫婦は、二人とも、あなたに誘われて悪の道に入っちゃったんだもの……」

「そんなことないな。いま、おれは、その先輩の苦境を救おうと一生懸命なんだぜ」

と、岸は貴子の乳首をつっついた。

「主人の苦境を？　それどういうこと？」

「いや、いまはちょっと言えないんだ」

「あたしが頼んでも？」

「うん、彼の大事なここを頂いたうえに、彼の秘密を洩らしたりしたら、二重の裏切りだからな」

岸は、貴子を探りに来た。

「くすぐったいわ。もう、きょうはいいの。十分満足いたしました。それより、いまのこと、教えてちょうだいよ」

貴子は、からだの向きを変えて、真正面から、岸を見た。

「うん。もうちょっと待って……。うまくいったら、教えてやるよ」

「それ、ゆうべの家出とも関係あるの？」

「ゆうべの家出って何だい？」

と、岸が聞いた。

「主人、ゆうべというより、けさ早くかな、パジャマひとつでどこかに行ってしまったの」

「パジャマひとつ？　何だい、それは？」

岸は、呆れたように言った。

「あら？　あなたも知らないの？　あたしはこの間あなたが言った、『ちょっとした事件』というのが、それだと思って、心配していなかったんだけれど……。じゃあ、あれは違うの？」

貴子の中に狼狽が走った。亮伍の家出を岸が知らないのだとすると、事情が変わって来る。こんな風に、のんびりと男のそばに横たわったりしてはいられない……。

「うん……」

岸は、当惑したようにあごを撫でた。「違うかどうか、その辺の詳しいことは、おれも知らないんだ。まあ、もう少し、様子を見ていた方がいい。それだけは、忠告するよ」

「忠告だなんて、大袈裟《げさ》ね」

と、貴子は言った。

とにかく、二人で何か計画していることは確かだ。いま無理に聞き出さなくても、そのうちわかるだろう……。

「まあいいわ」

と、貴子は言った。

＊　＊　＊

徳島修平がパジャマ姿で発見された日の夕方、彼の妻伸江がベンツを運転して、鳩浦署にやって来た。

五反田署からの連絡によると、伸江は三十六歳だというが、職業柄化粧がうまいせいか、その年齢には見えなかった。

小麦色というのは、こういう肌のことか。田部は、ベンツの助手席に乗り、上原病院に案内しながら、彼女にみとれていた。しかもその肌は光沢がいい。何か特別の薬品でも塗っているのではないか、という感じさえする。そして、口紅もその肌にマッチしていた。

あの徳島修平という男は、こんな美人の細君がいるのに、なぜ家出などしたのだろう。

田部は、何度も首を振った。

その伸江は、病院に着いたころから、ときどき胸に手をやり、大きな息をした。

徳島修平の入院している部屋は、三階にある。

エレベーターを三階で降りると、伸江は田部の腕を摑んだ。

「刑事さん、ちょっと待って……。あたし、胸がどきどきしてしまって……」

実際に、伸江の目は緊張のためか、吊り上がっていた。

「心臓の病気をしたことは？」

と、田部は聞いた。興奮して倒れられたりしては大変だ。

「いいえ」

と、伸江は声を震わせた。「でも、主人、記憶をなくしているのでしょう？　あたしに会っても、どこの女かなんて顔をしたら困るし……」

「奥さん」

田部は、立ち止まって言った。「いいですか？　彼と奥さんを会わせるのは、人物鑑定の意味もあるんです。その点を忘れないで下さい」

「人物鑑定ですか？」

と、不思議そうに、伸江は聞き返した。

「ええ、問題の人物は徳島修平と名乗っています。しかし、本当にそうなのかどうか、本人がそう言っているだけで、まだはっきりした証拠はないのです。だから、その点を奥さんに確かめて頂くというのも、二人を対面させる目的の一つなんです」

「わかりましたわ」

伸江は、大きく息を吸った。「一生懸命がんばります」

「いや、がんばらなくてもいいですが……」

田部は、苦笑した。

ドアをノックすると、

「はい、どうぞ……」

という声が返って来た。

田部は、ドアを開け、伸江を押しやるようにした。

徳島修平は、病院の白い寝間着を着て、ベッドに座っていた。その彼を、伸江は入口に立ち止まり、じっと睨んでいる。

「どうです？」

と、田部は小声で聞いた。

「……」

伸江は、小さく首を振った。

「違うの？」

「よくわからないんです」

伸江は当惑したように言った。「だって髭がないんだもの……」

一方の徳島修平も、伸江を見つめていた。懸命に記憶の層を探っているのか、瞬きもしない。

「どうです？」

田部は、彼に近づいて聞いた。「このご婦人がだれだか、わかりますか？」

「ええ、違ったら失礼なんですが、女房ではないかと……」

「ほう……。では奥さんの名前は？」

「ええと、仲江です」

そのとき、思いついたことがあるらしく、仲江が弾んだ声を出した。

「刑事さん。この人の胸を見せてもらえませんか？」

「胸？　いいですよ。徳島さん、その寝間着の前を開けて……」

その田部の言葉が終わらないうちに、

「こうですか」

と、徳島が、寝間着の衿を開き、胸部を露出させた。

「ああ……」

仲江が、悲鳴に近い声を上げた。「間違いありません。主人です」

彼女は、そのまま、ベッドに走り寄り、白い寝間着の男に抱きついた。

鑑別の決め手は、徳島修平の胸の二つの乳首のちょうど中間にあるあずき大のほくろであった。

「あのほくろは、絶対にあの人のものです」

対面を終わり、署に帰る車の中で、仲江はしきりにそう強調した。

徳島修平の方は、上原院長の意見で、あと二、三日入院して、静養することになっていた。院長は、彼が記憶を取り戻すための実験をしてみたいとも言っていた。案外それが、入院を続けさせる本当の目的かもしれなかった。

「奥さん」

と、田部は言った。「本当に間違いないのでしょうね?」

仲江が、あまりに『間違いない』と繰り返すので、それが、却って田部の不審を呼んだのだった。

仲江は、実は自信がないのだけれど、無理に自分を納得させようとしているのではないか。『間違いない』というのは、自分に言い聞かせる言葉なのかもしれない。

「ええ、あのほくろは……」

「しかし、胸にほくろがある男は、たくさんいると思いますが……」

「あ、そうだ」

と、仲江は、言った。「刑事さん。後ろの座席に買物用の紙袋があるでしょう? それを取って下さいませんか?」

「ああ、あの袋ね」

田部は、からだをひねり、片手を伸ばして言われた通りにした。

「その紙袋の中に、ハンカチの包みがあるのです。あ、いまは開けないで……。その包みの中身は、主人の万年筆なの。きっと、主人の指紋がついているだろうと思って持って来たんです」

「ああ、そういうものがあったのですか？」田部は、大きくうなずいた。「指紋があるのなら、簡単です。署に帰って鑑識に調べてもらいましょう」

「ええ……」

そのあと、伸江は急に黙ってしまった。

「どうかしましたか？」

頃合を見て、田部は聞いた。

「刑事さんは、どうお考えです？　主人、本当に記憶がないのかしら？」

「さあ……、それは専門家でないから……。しかし、家出の理由については、何か心当たりがありませんか？」

「あのう……」

伸江は、ちょっと間を置いてから、思い切るように言った。「いいわ。どうせ、あとでわかるかもしれないことだから……。主人があたしの浮気を知ったんです。記憶がなくなったのがそのショックのせいだったら、あたし、主人に申しわけないし……」

「ははあ、そんなことがあったんですか？」

田部は、伸江の横顔に見入った。切れ長でいながら、まぶたは二重になっている。そして、黒目が大きかった。こういう目は浮気性なのだろうか。

鑑定の結果は、署に帰って十分もしないうちに出た。

万年筆から採取された指紋は、徳島修平の指紋と完全に一致した。

こうなると、この事件は警察の手を離れることになる。

もちろん、彼がなぜパジャマひとつという奇妙な姿になっていたかなど、疑問の点は残されていたが、犯罪が行われたという明白な証拠が見つからない以上、捜査をしてもしようがない。

あとは、徳島修平が記憶を取り戻すのを待つだけであった。

彼の記憶が戻った段階で、だれかから被害を受けたということがはっきりすれば、再び捜査に着手するということになろう。

＊　＊　＊

翌日の正午すぎ、貴子はゴルフの練習場に行った。その時刻は、あまり客がいない。

ドライバーでボールを一箱打ったところに、岸がやって来た。

「どうです？　調子は……」

岸は、アイアンを一本持ち、それをからだの前で杖のようにしながら、胸をそらした。

「最低。筋肉がすっかり忘れてしまったみたい」

貴子は、岸を正面から睨みつけた。

「どうしたんです？　きょうはご機嫌が悪いみたいだ」

「先生」

貴子は、ゴルフ場における呼び方で岸を呼んだ。

「はい」

と、岸もすまして答えた。

「きょうの朝刊、ご覧になりました？」

「朝刊ですか？　何新聞の朝刊？　それで、どんなことが載っていました？」

岸も貴子の顔を見つめた。そばに人はいなかったが、二人とも、小声で話していた。

「中央日報の隅のところ。もし、まだ、お読みでなかったら、是非読んで下さい。その上でお話ししたいことがあるの。今晩でも、どこかでお会いできないかしら」

「わかりました。とにかく、電話します」

そう言うと、岸は、別の女性客の方に歩いて行った。

貴子は、クラブを片付け始めた。岸と連絡を取るのが、ここに来た目的であった。電話をかけて、岸を呼んでもらうという手もないではないが、電話を受ける女性係員が、貴子の声を覚えているので、その方法は避けているのだ。

この日の中央日報に、貴子の注意を引いた記事が出ていた。

房総半島の鳩浦観光ホテルの玄関に、記憶喪失の男が現れた、という記事である。

ただ、それだけなら、何ということはないが、記事によると、その男はパジャマにサンダルという姿だったらしい。

その、『パジャマ』という活字が、貴子の目にとまり、記事を読むことになったのかもしれない。

途中まで読んだとき、貴子は、この男が夫の亮伍に違いないと確信した。時間的にも符合する。自動車を利用すれば、貴子の家を二時に出て、七時ころ鳩浦につくことは十分に可能であった。

ところが、記事を読み進むうちに、貴子は首をひねった。

そのパジャマ男は、自分を『東京都品川区に住むT（四〇）』と名乗ったという。名前をイニシャルにしてあるのは、プライバシー保護のためだろうが、『品川区』に家があるという点が、納得できなかった。

しかも記事によれば、男の申し出に従って自宅に連絡したところ、妻で美容師のNさん（三六）が対面に現れ、彼をTと認めたという。さらに指紋照合の結果でも、男がTであることが確認された……。

『それにしても、家出してから、一年四カ月の間、Tさんはどこにいて、なぜパジャマ一枚で鳩浦に現れたのか。Tさんの記憶が戻らないかぎり、謎は残る』

と、記事は結んでいた。

こんな偶然があるはずはない。貴子はそう考えた。夫の亮伍は、パジャマにサンダルで、外出した。そして、いまだに戻って来ていない。一方、同じようにパジャマにサンダルの男が、翌朝早く鳩浦に現れた。これが単なる偶然の符合だとは、どうしても考えられない。そこには何らかの意味があるはずだ。

たぶん、鳩浦の男は亮伍であろう。と、貴子は考えてみた。しかし、その場合、Nという美容師がTと認めたという点に疑問が生じる。

一歩譲って、Nが嘘を言ったとしても、なぜ、そんな嘘を言う必要があるのか、という疑問にぶつかる。

また、指紋照合の結果もTであることが確認されたというのも、理解できない。指紋はごまかせないはずである。

岸が言った『ちょっとした事件』とは、このことなのだろう。岸からは、『もうしばらく静かにしていてくれ』と言われたが、こんな奇妙な事実を突きつけられてまで、静かにしているわけにはいかない。

どうしても、岸に問いただしたかった。

「そんなに真相を知りたいかな」

電話をかけて来た岸は、貴子の質問にそう答えた。

「ええ、知りたいわ」

「もうちょっと待てば、旦那は、ちゃんと帰って来るんだがな」

「待てないわ」

と、貴子は言った。「とにかく、はっきりさせたいの」

「まあ、いいでしょう。じゃあ、お貴さんの方から質問して下さい。答えられることは、答えるから……」

「いいわ。まず、鳩浦のホテルに現れた男というのは、主人なのでしょう？」

「イエスですな」

「でも、新聞だと彼はTと名乗ったそうだけれど」

「うん、彼はいまはTなんだよ。だから、そう名乗っただけで……」

「いまはT？　つまり彼はNさんとかと夫婦をやっているのね？」

貴子は胸に痛みを感じていた。これは、嫉妬なのだろうか。

「まあね。しかし、セックスしているかどうかは疑問だな。彼女には、やがて結婚する予定の男がいるのだから……。いや、その前に君の旦那さんとは、正式に離婚することになっている。そうなったら、旦那さんは、ちゃんと君のところに帰ってくる……。しかも、礼金の一千万円を持ってね」

岸は、嬉しそうに笑った。

「一千万円？　それ、だれが払うの？」

「まあ、Nさんだろうね」

「わからないわ。それとも、亮伍というのは、本当は別の名前を持っていて、Nさんとも結婚していたの？」

「まさか……。それだったら、戸籍を二つ持っていなければならない。君だってちゃんと婚姻届は出しているのだろう？」

「……」

たしかに、婚姻届には署名捺印した。しかし、それをちゃんと役所に届けたかどうか、自信がなかった。

「どうしたんだい？　黙ってしまって……」

「ねえ、本当のところはどうなの？　あたしは戸籍上も藤木の妻なの？」

「何を言っているんですか」

と、岸は笑った。「戸籍上の妻でなかったら、おれは、とっくに君をさらっているよ」

「そんな……」

貴子は、岸のじょうだんが笑えなかった。笑うどころか、泣き声になっている。

「しょうがないなあ……」

岸は、当惑した声を出した。「じゃあ、だいたいのことを教えようか。実は、おれ、いまの練習場に来る前、五反田のインドアでレッスンプロをしていたんだ」

「五反田というと、品川区ね？」

「そう。そこで、ある美容師さんと親しくなった。亭主は土地持ちで、その上、彼女の稼ぎも相当なもんだった。だから、おれも、ずいぶんお小遣いをもらったよ」

「悪かったわね」

と、貴子は言った。「あたしは、お小遣いなんか上げなかった」

「ところがだ……」

岸は、貴子の言葉を無視して続けた。「おれとのことが、亭主にばれてしまったんだ。亭主は刃物を持って、彼女を威《おど》したんだな。殺す気はなかったのかもしれないが、彼女の方は殺されると思った。それで、すきを見て、花瓶を亭主に投げつけ、ひるんだところにぶつかって行って、刃物を奪い、反対に刺してしまったというわけ」

「え？　殺しちゃったの？」

貴子は驚いて聞いた。

「彼女は、おれに電話をかけて来た。何とかしてくれというわけだ。おれは、女に頼まれると弱いからね。夜中に死体を運び、ある所に埋めてしまった」

「どこに？」

と、貴子は聞いた。

「それは、言えない。とにかく、まだ発見されていない。おれは、お宅の旦那に相談したんだ。司法試験を受けようとしたくらいだから、法律に詳しいと思ってね。すると、とにかく、警察に捜索願いを出しておけという。亭主がいなくなったのに、捜索願いも出さないでは、警察に疑われるというわけだ。しかも、それにつける身体的特徴などは、事実と違う方がいい、とも教えてくれた。万一死体が見つかった場合、身体的特徴が身元割出しの決め手になるからだそうだ。それで、捜索願いには、お宅の旦那の特徴を拝借して書いておいた。奥歯が一本欠けているなんてことも含めてだ。そうそう、それにつけた写真も旦那のものだった」

「あら、知らなかったわ。彼、奥歯が一本ないの？」

貴子は、場違いな笑い声を上げた。

「その後、万事うまく行っていた。ところが、彼女に金持ちの恋人ができてね。しかも、しかも、結婚してもいいという。そこで、彼女は困ってしまった。法律上は、まだ人妻の身だ。

離婚したくても、相手があの世にいるのだから、交渉もできない。失踪宣告する手もあるけれど、それには七年かかるそうだからね。そこで、捜索願いのことを思い出した。亭主が現れたことにすればいいじゃないか。そして、現れた亭主と離婚交渉する」

「そうか……。亮伍は、離婚するための夫役というわけか……。でも、なぜ、パジャマ姿なんかに……」

貴子にとっては、それが最大の疑問であった。

「万一、警察がいろいろ聞きに来ても、記憶喪失になっていたと言えばどうしようもないだろう？　そして、記憶喪失を使う場合、パジャマ姿で、『ここはどこでしょう？』とやれば、非常に効果的だ。それが狙いだったんだ。おわかりですか？」

「待ってよ」

と、貴子は言った。「さっき、一千万円のお礼とか言っていたけれど、彼女にそんなお金があるの？」

「亭主は土地持ちなんだよ。離婚の慰謝料と財産分与というやつで、七億ぐらいは、Nさんに入るんだ。そういう条件で、離婚すればいい。なにしろ交渉相手は、お宅の旦那なんだから、そのあたりは、ちゃんとやってくれる」

「もちろん、あなたもお礼はもらうわけでしょう？」

貴子は笑った。

「うん。鳩浦までパジャマ姿の旦那をおくったのは、おれなんだから……。どうだい？警察に訴えたりしないだろうね。そんなことしたって、何の足しにもならない。亭主が刑務所に入れられては困るだろう？」

「そうね」

と、貴子は答えた。そんなことになったら、両親が泣くだろうし……。

「黙っていてくれたら……」

岸が、追い討ちをかけるように言った。「君の分ももらってやってもいいぜ」

時間を貸す

智は揺り動かされて目を覚ました。彼の肩に、久美の手がかかっていた。

「ああ、ごめん」

と、智は言った。「眠るつもりじゃなかったんだ。いびきをかいていた?」

「ううん、あたしもちょっと眠っていたから……。それよりあれ何かしら?」

「あれ?」

「ほら、どこかで変な音がしている。あれで目が覚めたみたい」

たしかに耳障りな音が、部屋の空気を震わせていた。音量はそれほど大きくないのだろうが、鼓膜にはよく響く鈍い連続音。何か機械の音らしいな、と考えた瞬間、智はベッドから飛び起きていた。

ベッドとは逆側、窓のそばに机が置いてある。その上の電話機が立てている音らしい。

二人がシャワーを使い、ベッドに入る直前に、智は電話機から送受器を外しておいた。どこからか電話がかかって来て情事が妨げられるのを防ぐためであった。

恐らく、そのあと、この部屋に電話をして来たものがいるのだろう。ところが、何度かけても、話し中だったため、電話局に問い合わせた。電話局が調べた結果、送受器が外れていることがわかり、注意を促す音を流して来た……。

やはり、送受器を元に戻すと、その連続音はすぐに止んだ。しかし、智はしばらくベッドに帰らなかった。電話局に通報した人が、改めてかけて来るに違いない……。文字通りの全裸ではあったが、いまさら久美に遠慮することもないだろう。

智の予想は当たり、一分もしないうちに電話のベルがなった。

「はい、伊那です」

と、智は電話に出た。

「智か？　わたしだ」

父親の声だった。ああ、と智は苦笑した。電話が話し中だからといって、わざわざ電話局に問い合わせたりするのは、父親くらいのものだ。

智の父、学は郷里の市役所で部長をしている。能吏という評判らしいが、それだけに、何ごともきちんとしなければ、気がすまない性格なのだ。

「ああ、どうも……」

と、智は言った。

「どうもじゃないよ。さっきから、何回も電話したんだ。ずっと話し中なので、おかしいと思って電話局に調べさせたら、送話器が外れていると……」

「ああ、さっき、電話機の上に本を落としたものだから、そのとき外れちゃったんでしょう」

「しょうがない奴だ。そんな初歩的なミスをして……。会社から、重要な電話がかかって来ても用をなさないじゃないか」

「ええ……」

でも土曜日だから……という言葉を、智は途中でのみ込んだ。そんな弁解をすれば、さらにお説教が返って来るだろう。

「ところで、お前、最近雅子と会ったか?」

父親は、急に話題を変えた。

「いいえ、あいつ、いろいろ忙しがっているもので……」

地方から東京に出て来ている兄と妹。そうした二人の暮らし方には、二つのタイプがあるようだ。仲よく連絡し合い、しばしば一緒に食事をしたりする型と、逆に互いに相手に無関心で、それぞれが勝手にやっているという型。

智と雅子の場合は、どちらかというと、後者に属すると言える。

雅子も、大学に入ったばかりのころは、心細さもあって、休みの日など、わざわざ私鉄を乗り換えて、よく彼のアパートに遊びに来たが、一年も経たないうちに、あまり寄りつかなくなった。大学生活にも慣れ、友だちもできたためだろう。

『兄貴の洗濯ものの面倒をみるために、東京に出て来たのではない』

などと、憎まれ口をきいたりした。

一方、雅子が上京した前の年に、いまの会社に就職した智は、仕事も忙しくなり始めていたから、雅子のことを気にしながらも、頻繁に連絡してみるということをしなかった。

　そして、それがいつの間にか、二人のペースになってしまったのだ。

「そんなことじゃ困るよ。お前が監督してくれると思ったから、あいつを東京の大学にやったんだ」

「でも、雅子だって、もう二十二ですよ。おとなのつもりなのだから、監督するなどと言ったら、どなりかえされますよ」

「しかしだね」

「雅子がどうかしたのですか？」

と、智は聞いた。父親と言い争っていてもらちがあかない。

「あいつのところ、いつ電話しても、留守番電話になっているんだ。それで、家に連絡するようにメッセージをいれておいても、何の連絡もよこさない」

「へえ、あいつ生意気に留守番電話なんか、持っているのですか？」

と、智は言った。

「何だ？　お前が買ってやったのではないのか？」

「いいえ。留守番電話なんてぼくだって持っていませんよ」

「ふうん……。雅子は、お兄ちゃんのプレゼントだなんて言っていたが……」

「へえ……。それで、連絡がつかないのは、いつごろからです？」

「そうだなあ、もう一週間ぐらいになる」

「ああ、その程度ですか？」

と、智は笑った。無意識のうちに演技をしていたようだ。「友だちと旅行にでも行っているのですよ。あいつは、ことしで学生生活におさらばだから……」

「うん、とにかく、連絡をとってみてくれ」

と、父親は言った。

「おやじだった」

智は再びベッドに戻った。久美が、頭をもち上げ、その下に智が腕を入れることを促した。「雅子の奴が、行方不明になっているというんだ」

久美は、雅子と同じ大学を一昨年に卒業、現在はあるデパートの総務課に勤めている。その久美の口ききで、雅子はそこの食料品売場でアルバイトをしたことがある。そんな関係だったので、父親から聞いたばかりの話を久美に打ち明ける気になったのであった。

「あら、行方不明なんて、素敵じゃない」

久美も、その話を大袈裟には受けとめなかった。笑いながら、顔を智の肩のあたりに寄せてくる。

「あいつ、ばかなんだよ。ときどきうちに電話して、まじめに勉強していると言っておけば、おやじだって心配しないのに……」

「行方不明って、具体的にはどんなこと？」

「おやじの話では……」

と、智は電話のやりとりを久美に伝えた。

「へえ、彼女、留守番電話なんて持っているんだ」

久美も、そのことに智と同じような反応を示した。

「うん、生意気だよ」

「ねえ……」

久美は、智の乳首をつまみながら、甘えた声を出した。「気を悪くしちゃあいやあよ。彼女、スポンサーを見つけたんじゃないかしら」

「スポンサーというと？」

「はっきり言うと、お金持ちのおじさま」

久美は、自分の言葉が智に与えた衝撃を探ろうとするかのように、彼の目に見入った。

「まさか……」

反射的に智は口にした。彼の目には、雅子はまだこどもであった。久美の言葉が、ひどく的はずれに思われた。

「まさか、ということはないわよ。雅子ちゃんみたいなタイプ、結構おじさま族にもてるのよ。彼女自身も、割に自由な考え方をしているし……」

「自由な考え方？」

「地方の公立高校出身者、しかも、固い家庭で育った女の子に多いタイプ。東京の大学に来てカルチャー・ショックを受けるのよ。こっちにいる同世代の女の子と自分たちが、あまりにも違い過ぎるので……。いろいろ刺激もあるしね。それで、意識的に脱皮しようとする。世の中には、親と違った生き方もあるんだ、というわけで、敢えて親とは違った道を歩こうとするの」

「君は雅子の口から、そういう言葉を聞いたことがあるの？」

「うん。彼女が、一時英会話の学校に通っていたことがあるのは知っているでしょう？」

「うん、その学費を稼ぐために、君にアルバイトを世話してもらった……」

「本気かどうか知らないけれど、あのとき、アメリカに行って、向こうの金持ちを捕えるんだなんてことも言っていたから……」

「それは、ぼくも聞いた。しかし、あれはじょうだんだろう？　第一、英会話の学校も三カ月でやめてしまった」

「じょうだんでしょうけれど、心のどこかに、そんな憧れがなければ、あんなことは言わないと思うの。それに……」

久美が、そこで言葉を切った。智は待っていたが、彼女は沈黙したままだった。

「どうしたんだい？　何か言いかけたんだろう？」

「うん、どうしようかな。似ているというだけで、確実ではないのだし……」

「つまり、雅子に似た女の子を見たというわけ？」

「そう。この前、Lホテルで『おとくい様ご内覧会』というのがあったの。あたしも駆り出されたんだけれど、それが終わって帰ろうとしたとき、あそこの駐車場で、キスしているアベックがいるの。もうだいぶ暗くなっていたけれど、それにしても大胆でしょう？」

「それが、雅子だというの？」

智の声はかすれていた。

「よくわからないと言ったでしょう。ただ、やがてその二人は、車に乗ってどこかに行っちゃったのだけれど、ちらっと見た感じが、雅子ちゃんに似ていたの。相手は外人のようだった」

「外人？」

「正確に言えば、白人……」

言いながら、久美は手を智のからだに這わせた。しかし、彼のそこは、完全に力をなくしていた。

智の父親は、最初雅子を、女子学生専門のマンションに住まわせたかったらしい。だが、その種のマンションは、権利金、部屋代があまりに高く、地方の公務員には、とても出せるものではなかった。

それに、雅子自身も、取り寄せたパンフレットを見て、こういうところではいやだと言った。恐らく、門限が決まっていたり、男子の訪問者を部屋に入れてはいけないなどという規則を、堅苦しいものに思ったのだろう。

結局、大学から私鉄の駅で三つ離れたところの民間アパートを借りたのだった。今は立派に市になっているが、ずっと昔は『郡部』と呼ばれていたという、いわゆるベッドタウンで、都の二十三区内に比べるとアパートの部屋代なども、不思議なくらい安い。部屋は智のところよりも広かった。

ただ、智自身は、そのアパートに、これまで一度しか足を運んでいない。雅子の部屋の隣室も、女子学生が住んでおり、挨拶に行った智に、好奇心を露《あらわ》にした視線を投げかけて来た。それに辟易《へきえき》したのである。

父の学から電話があった翌日、智はそのアパート『行雲荘』に二度目の訪問をした。

アパートは、最初のときに比べ、だいぶくすんで見えた。もう三年以上が経っているのだから、それも当然かもしれない。それにしても、雅子は別のところに引っ越そうとは思わなかったのだろうか。智は、そんなことを考えながら、アパートの持主を訪ねた。

持主の家は、アパートから五十メートルくらいのところにあり、最初の訪問のとき、兄として挨拶に行っている。

「ああ、伊那さんのお兄さんでしたね」

家主の奥さんは、智を覚えていて、彼の顔を見るなり、そう声をかけた。もっとも、雅子とはそっくりだと言う人が多いから、顔で察しをつけたのかもしれない。

雅子の説明によると、家主は元はサラリーマンだったが、叔父の土地を分けてもらい、アパートを二棟建てて、習字の先生をしながら、悠々と暮らしているのだという。

「え？　妹さんは郷里に帰っているのではないのですか？」

家主の奥さんは、智が用件を述べると、目を丸くして言った。年齢は四十前後、もと もと目が大きい人であった。

「雅子がそう言ったのですか？」

「ええ、そろそろ卒論に取りかからなければならないのだけれど、こちらにいると、つい遊んでしまうからとか……」

「ははあ……」

智は、苦笑した。彼女は、そんな大袈裟な卒論を書くつもりなのか……。

「それで、新聞も止めて行ったはずですよ。また帰って来るから、部屋はほかの人には貸さないでくれとも言っていたし……」

「変だなあ、おやじから電話が来て、様子を見て来いと言われたんです」

「そうですか、じゃあ、部屋をご覧になりますか？」

奥さんは気軽に腰を上げ、智を雅子の部屋まで連れて行ってくれた。手に鍵の束を持っている。

二階の一番奥が雅子の部屋だった。そこの前に立って奥さんは言った。

「ほらね。新聞もちゃんと断ってあるわ。そうでなければ、この口から溢れているはずでしょう?」

奥さんは、新聞の差し入れ口を指して言った。

「なるほど……」

「開けてみますか?」

奥さんが、鍵を見せながら聞く。

「お願いします」

「いいわ。伊那さんなら、怒ることもないと思うから……」

「怒る人もいるのですか?」

「ええ」

奥さんは意味ありげな笑いを浮かべた。「ほら、親もとを離れていると、いろいろ秘密ができるでしょう? だから、親御さんが急に訪ねて来たときなど、うっかり部屋に通してあとで恨まれたことなんかもあるの」

彼女は話し好きらしく、鍵を扱いながらも、口を休めない。

やがて、ドアが開いた。

「さあ、どうぞ……」

「あ、立ち会って下さるのでしょう?」

と、智は聞いた。

「どうして？　そんな必要ないわ。お兄さんだということはわかっているのだし……。ただ、帰るとき、鍵をお願いします」

奥さんは、そう言うと帰って行った。

部屋の中は、意外なほど、綺麗に片付いていた。ベッドの毛布も、まるでホテルのようにベッド・メークされていたし、小型のドレッサーには、ちゃんと刺繡をした覆いがかけられている。

そのドレッサーの脇に屑入れがあったが、それも空であった。

智は唸った。これで見る限り、雅子は長期間、部屋を留守にするつもりのようだ。


窓際に、小さな机がある。この前来たときとは、位置が違っているようだ。いまの配置は、智の部屋のそれと大体同じであった。兄妹だと、こんなところも自然に似てしまうのか。それとも、雅子が智の部屋の模様を真似したのか。たぶん、後者だろう……。

机の上に電話機がある。これも智の部屋と同じだった。だが、ここにある電話機は、智のものより高級そうであった。

その白い電話機の角で、赤いランプが点滅している。近づいてよく見ると『留守中に伝言があったとき、点滅します』と、小さい字で印刷された紙が貼ってある。

これが、留守番電話か……。智がさらに調べようとしたとき、ドアがノックされた。

「はい」

反射的に智は答えた。たぶん、家主の奥さんだろう。「どうぞ……」

しかし、ドアが開いて姿を見せたのは、若い女性だった。

「あっ、こんにちは。しばらくでした」

「ああ」

と、智は応じた。「たしか、お隣りの？」

「ええ、小森静江です。何か音がしたので、雅子さんが帰って来たのかと思って……」

「いや、実はここのところ、あいつと連絡がとれないので、様子を見に来たんです」

「ああ、そうなんですか……。彼女、旅行じゃないんですか？」

小森静江は、立ったまま部屋を見回している。

「ああ、どうぞこれに……」

智は、椅子の上にあった座布団を取って、静江に勧めた。

「あ、すみません。でもお兄さんは……」

「いや、ぼくはここに……」

と、智は椅子に腰かけた。

「本当にしばらくですね。あたし、彼女に頼んだんですよ。お兄さんに会わせてって。

でも、彼女、『お兄さんけち』で……」

静江は、上目遣いに智を睨んだ。以前とは違って、おとなの色気がある。

「何です？　その何とかけちというのは」

「お兄さんけち……。お兄さんを大事にしまい込んで、人に見せないから……」

「ああ……」

智は笑った。「いや、僕が忙しがっているためですよ。それより、妹のことなんですが、旅行に出るとか言っていたの？」

「ええ、大きなスーツケースを買って来たので、海外旅行って聞いたら、海外じゃないわよって……。だから、彼と温泉旅行にでも行ったのかな、なんて思っていたんです」

「彼というと、そういうボーイフレンドがいたんですか？」

智は、久美の言葉を思い出した。

「困ったな。あたし、よけいなことを言ったみたい」

「そんなことはない。彼女だっておとななんだもの、ボーイフレンドがいても、不思議はないよ」

「雅子さんいいな。理解があるお兄さんがいて……」

彼女はまた、例の色っぽい目つきをした。

「そのボーイフレンドは日本人？」

「え？　そうですよ」

当然じゃないか、という顔をしている。

「名前なんか知らない？」

「たしか、神尾さんと言ったと思います。でも、あたしから聞いたとは言わないで下さい。あたし叱られるかもしれないから……」

彼女は目を逸《そ》らした。その目の不自然な動きでひらめいたことがあった。

「もしかしたら、その神尾という人、家庭を持っているのじゃない？」

「……」

はっとしたように、彼女は顔を上げた。なぜわかったのか、という驚き。智の目にはそう映った。

「そうなんでしょう？」

と、さらに押してみる。

「……」

静江は黙ってうなずいた。

「ふうん、何をしている人？」

「前にデパートにアルバイトに行ったときの主任さんだと言っていました」

「ははあ……」

では、久美に聞けば、わかるだろう……。

「でも……」

静江は、当惑気味に言った。「いまは違うかもしれません。お終いにすると言っていたから……」

「お終いにする。そうあいつが言ったの？」

「ええ、一月くらい前ですけれど……。あのう……。あたし、失礼します。本当によけいなことを言ってしまったみたいで……」

小森静江は、そう言うと、ぴょこんと頭を下げ、逃げるように帰って行った。

智は、引き止めなかった。『神尾』という名前を聞き出したことだけでも、おおきな収穫だった。


『木島でございます。きのう、お約束の場所に来なかったでしょう。お加減が悪いのではないかと心配で電話しました。ええと、いまは四日の午前十時です。ご連絡をお待ちしています』

これが、留守番電話に入っていた最初のメッセージであった。

智は、雅子のアパートでは留守番電話のメッセージを聞かず、テープだけを持ち帰ったのだ。アパートで聞いていると、雅子の知り合いが訪ねて来たようなときに困ると考えたのである。

四日か……。智は、カレンダーに目をやった。ちょうど二十日前ということになる。火曜日で大安だった。その日以来、雅子は、留守番電話を聞いていないことになる……。

テープには、父親が一回、母親が二回メッセージを吹き込んでいた。そのどれもが、

最後は、

『とにかく連絡をよこしなさい』

という言葉で終わっていた。それにもかかわらず、雅子が何の連絡もしていないのなら、心配するのは当たり前だ。『様子を見に行け』と智に言って来るのが、遅過ぎたくらいだ……。

『木島でございます』で始まるメッセージは、このあと二回入っている。品のいい女性の声。話し方から想像すると、雅子などより、はるかに年長者の感じがする。几帳面な性格らしく、電話をかけた日時を必ず吹き込んでいる。あとの二回は五日の午前九時と七日の午後八時の分であった。そのあと彼女が電話をして来なくなったのは、何の連絡もしない雅子に腹を立てたためか。

腹を立てたと言えば、この『木島』さんの二回目のメッセージの中に『どうして電話を下さらないの。あたし、何かお気に障ることをしたかしら』という言葉があった。それから推すと、この『木島』さんは、人の心理を気にする内気な性格の女性のようだが……。

智が、はっとしたのは、『木島』さんの最後のメッセージのすぐあとに吹き込まれた男の伝言を聞いたときだった。

『神尾です』

という言葉で、それは始まっていた。『あの問題、その後どうですか？　何の連絡もないので心配しています。もし、あれならば、ぼくとしても何とかしなければならないと思っているので……』

神尾は、日時を述べていないが、この直前が、『木島』さんで『七日午後』と言っており、また直後に母親の『九日、おだやかな日曜日です』という言葉がはいっているから、おおまかな日時は特定できる。いずれにせよ、二週間は経っている勘定だった。

江田久美が訪ねて来たのは、智がテープを聞き終わり、ベッドに寝転がってぼんやりしているときであった。

久美が二日続けてこの部屋に来ることは、これまでになかったのだが、雅子の『消息不明』がやはり気になったのだろう。

「神尾さんて、あの神尾さんかなあ？」

智が、『行雲荘』での経緯を話すと、考え込む目つきで久美が言った。

「知っているの？」

「広報に神尾さんていう人がいることはいるのよ。でも、その人かどうか……」

「小森静江という子の話では、その神尾は、雅子がアルバイトしたときの上役だったそうだ。だから、渋谷店の食料品売場だとおもうんだ」

「待って」

と、久美は口を尖らせた。智の好きな表情だ。「神尾さんてエリートなのよ。うちの会社、将来の幹部には、あっちこっちの売場を回らせるの。雅子ちゃんが、アルバイトしていたころ、たまたま、同じところにいた可能性はあるわ」

「いくつぐらいの男？」

と、智は聞いた。

「さあ、あたしの見たところでは、三十代後半……。ちょっと素敵な人よ。髪の毛を前の方にちょっと垂らし、デパートマンというより、広告会社社員という感じ。洋服の趣味もいいし……。雅子ちゃんて、わりに面食いだったから、彼女のタイプかもしれない」

「背は？」

「特別に高くはないわね。でも、筋肉質だから、見た感じはすらりとしていて……」

「もちろん、妻子持ちなんだろう？」

「ええ……。いいわ、あたしそれとなく調べてみる」

久美は、弾んだ口調で言った。

翌日の月曜、午後三時過ぎに、久美が会社に電話をかけて来た。

「これ、会社の近くの青電話から……」

久美は、そう前置きをして、神尾についての報告をしてくれた。

「雅子ちゃんの相手の神尾っていうの、間違いなく広報の神尾さんだわ。彼、渋谷店に半年ばかりいたのだけれど、時期がちょうど雅子ちゃんがアルバイトをしていたころなの。それから、留守番電話のテープの声も、よく似ているわ」

「それで、雅子のことは聞いたの？」

「まさか……。それ切り出すの、もう少し様子を見ての方がいいと思うの。あたしに任せて……」

「それはいいけれど……」

智は、ちょっと考え込んだ。「彼は、どんな人物なの？」

「それなのよ。人事課の仲間に調べてもらって、あたし驚いちゃった。まず学歴なんだけれど、C大医学部を中退して、F大の経済に入り直し……」

「C大医学部を中退？」

智も、驚きの声を上げた。「もったいないなあ、どうしてまた……」

C大医学部と言えば、入試が難しいことで有名だった。国立の医大以上の難関とも言われている。せっかくそこに入ったのに、神尾はなぜ中退したのか。だれでも頭に浮かべる疑問であろう。

「医者には向いていない、そう悟ったんですって。きょうの昼休み、社員食堂で偶然一緒になったふりをして、聞いてみたの。それでね、学歴の続きなんだけれど、F大の経済を卒業後、アメリカに二年留学して、あっちの何とかビジネス・スクールでマスター・オブ何とかという資格を取っているの。彼のお兄さんは、F大教授。そして奥さんは、R銀行重役の娘。エリートとは聞いていたけれど、まさかそんなだとは思わなかったわ」

久美は、芯から感心しているようだった。

「年齢は？」

「来月三十八になるのかな。感心したのは、あたしが、おっかなびっくり話しかけても、ちゃんとまじめに答えてくれた点。雅子ちゃんなんかも、案外、そんなところに参ってしまったのかもしれないわ」

「雅子どころか、君も参っているみたいじゃないか」

「あ、嬉しい。妬いているの？」

と、久美は笑った。「でも、あたしには、ちょっと重過ぎる感じだもの……」

「どうせ、ぼくは重くないよ」

と、智は言った。

「あ、ご免なさい。傷ついた？　そんな意味じゃないの」

「じゃあ、どんな意味なんだ？」

智は、絡んだ。たしかに、彼のなかには嫉妬があるようだった。

「いいじゃないの。それより、もう一つ情報があるの。木島夫人のこと」

「あ、そっちもわかったの？」

久美は、前日、『木島』さんについても、大学の後輩を通じて調べてみると言って帰ったのだが、その調べがこんなに早くつくとは、予想していなかった。

「ええ、あたし、あの大学の馬術部には、まだ顔が利くの。それで、雅子ちゃんと同学年の子に電話で聞いたところ、木島夫人というのは、あのあたりでは隠れた有名人なのね。ちょっと綺麗な女子学生を見かけると、話しかけて、自分の家に誘ったり……。やっぱりきのう言った線もあるみたい……」

「ふうん……」

智は唸った。

前夜、『木島』さんのテープを聞き終わって、久美が、『この人あやしいな』と言い出したのだ。

『あやしい？　どういうこと？』

『レズよ』

と、久美は断定する口調で言う。『二回目のテープで、お気に障ったことがどうとか言っているでしょう？　こんな風に、必要以上に相手の心理を気にするのは、レズに多いらしいし……』

そう言われて、智もあるいはそれも考えられる、という気になっていたのだが……。

「木島さんて、あの近くで、三代続いているお医者さまの奥さんなんですって……。もっと正確に言えば、家つき娘がお婿さんをとったわけ。大きな病院だけれど、奥さんは暇でしょう？　だから、ガールハントにということは、十分に考えられるでしょう？」

「いくつぐらいの人？」

「まだ若いわ。三十五、六だって……。あなた会ってみる？」

「会えるかな？」

智は首をひねった。

「会うための大義名分はあるでしょう？　妹がいなくなって、留守番電話を調べたら木島夫人のメッセージがあった。だから、藁《わら》をも摑む気持で、話をうかがいに来た……」

「なるほど、うまいな……」

と、智は笑った。「一緒に行ってくれないか？」

「行ってもいいけれど……。あ、その前に電話してみるのも手ね。電話の声とか口調がテープと一致するかどうか確認する必要があるし……。ええと、電話番号もきいてあるの。いい？」

こういう点、久美は有能だった。


木島夫人は、魅力的な女性だった。電話で訪問時間を言ってあったせいか、和服姿で智を迎えてくれた。

広い応接間。正面に鎧兜が飾られてある。智にはわからないが、いかにも高価そうである。三代続いた医者の家の風格が、随所に見られる感じだった。

木島家にやって来たのは、結局、智ひとりであった。最初、付き添ってくれる予定の久美に、のっぴきならない用というのができてしまったのだ。大の男が、ひとりでは行けないとも言えず、智はこんな面倒をかける雅子をひそかに罵りながら、ここに来たのだった。

「本当に雅子さんそっくり。ことに、口もとが……」

澄んだ綺麗な声だし、笑顔も美しい。そして真っ白な肌。だから、『魅力的な美人』という第一印象を受けたのだが、話しているうちに、とまどいを感じるようになった。具体的にどこがどうというのではない。しかし、別の世界に住む女性というような感じだ。

ことに、『奥さん』という智の呼びかけに対し、

「そんな他人行儀の呼び方でなく、名前を呼んでくださらない？　雅子さんは、香苗さんて呼んでいたのよ」

と、言われたときには、誇張でなく、背筋に冷たいものが走った。

「雅子さんには、折り紙を教えていただいていたの」

と、夫人は説明した。「あたし、大学のキャンパスの雰囲気が好きで、よくあのあたりに行くんですよ。ほら、裏門の前に喫茶店があるでしょう。ロメオと言ったかしら。ある日、ひとりでそこに入ったら、隣りの席にグループで来ていた女子学生のひとりが、折り紙でいろいろな動物を折りながら、話をしているんです。それが、とてもかわいい

の。あたくし、自分もやってみたくなって、教えてくれないか、と頼み込んだんです。それが、雅子さん」

「ははあ……」

たしかに、雅子は、こどものころから、折り紙が得意だった……。

「それでね、一週間に二度、月曜と木曜に家庭教師に来てもらっていたの」

――ところが、今月の第一月曜、三日に雅子が来なかった。そこで翌日、木島夫人は雅子のアパートに電話したのだが、留守番電話になっていたので、そこにメッセージを吹き込んだ。

「それをお兄さんが、お聞きになったというわけでしょう？」

「そうなんですか……」

智はうなずいた。完全に納得したわけではないが、夫人の説明に、とりたてておかしなところはない……。「それで……。その後、雅子から何か連絡がありましたか？」

「ええ、手紙が来たわ」

言いながら、夫人は、帯の間から、白い封筒を出した。「ええと……、これ、消印が九日になっているわ。だから、配達されたのは、十日だと思うのだけれど……。これに、探さないでくれと書いてあったし、心配しないでくれとも言っているので、そのあとはアパートに電話するのをやめたんです」

「探さないでくれ、と雅子が書いて来たんですか？」

「ええ、どうぞ、ご覧になって……」

夫人は、手紙を智に差し出した。

最初に封筒の表の消印に目をやった。『東京中央』のスタンプになっている。宛名の筆跡は、たしかに雅子のものであった。

「中を拝見していいでしょうか？」

「ええどうぞ」

と、夫人がほほえんだ。

『ちょっと、今は言えない事情があって、姿を隠しています。でも、犯罪とか危険とかには関係ないので、心配しないで下さい。それから、お願いだから探さないで。ことによると家族が、何か言って行くかもしれませんが、あたしは、いま楽しんでいるのだから、絶対に警察とかには行かないように言って下さい。また、香苗さんに会える日を楽しみにしています。雅子』

「なるほど……」

と、智はつぶやいた。「いまは言えない事情というのは、どんなことでしょう？」

「さあ……。でも雅子さんは、若くて美人だから、男の人にもてると思うのよ」

夫人は、意味ありげな言い方をした。

「というと、奥さんは、雅子がボーイフレンドのところに転がり込んでいると……」

「若いおじょうさんが、どこかに行ったという場合、そう考えるのが一般的でしょう？」

「まあ、そうかもしれませんが……」

智は、首をひねった。その常識が、雅子には当てはまらないように思えるのだが、それは、彼が肉親だからか。

「あのう……」

と、智は聞いた。「奥さんには、何か心当たりがあるのでしょうか？」

「いいえ……。でも……心配しないでくれと言っているし、雅子さんはしっかりしているから、大丈夫よ」

そう言った直後、夫人は急に眉をひそめ、白い手を口に持って行った。苦しげな声がその手から洩れる……。

「あ、どうかなさったのですか？」

と、智が中腰になって声をかけた。

「すみません」

夫人は、顔を上げた。肩で大きく息をついている。だが、顔色は、それほど悪くなかった。

「ご免なさい。変なところをお見せしてしまって……」

いかにも恥ずかしそうに、夫人は言った。

「どこか、お加減が悪いのでしょうか？」

「そうではなく……。いいわ。どうせいつかわかるのだし、言ってしまうわ。あたし妊娠しているの。いま三カ月で……」

「はあ、それはおめでとうございます」

と、智は言った。夫人のいまの言葉で、智の中にあった先入観が、急速になくなって行った。


江田久美が勤めているデパートの定休日は木曜だった。本部勤務の彼女は、このほかに日曜が休める。だから、彼女は休みの前、土曜か、水曜に智のアパートにやって来る。

「このところ、すこし頻繁で、反省しているんだ」

彼女が、部屋に入ってくるなりこう言ったのは、次の水曜の夜であった。

「反省するほどのことでもないだろう？　雅子なんか、毎日彼氏と一緒なのかもしれないんだ」

智は、投げやりな口調で言った。木島夫人の話を聞いた直後といまとでは、彼の考えもだいぶ変わって来ていた。あのときは、雅子が男のところに転がり込んだという説には、にわかに賛成できなかったのだが、時が経つと、それが一番合理的な解釈のように思われて来た。

雅子の奴、人騒がせな……。多分にそういう気持があって、久美にもそんな言い方をしたのである。

「どうしたの？　木島夫人説の裏付けが取れたの？」

と、久美はベッドに腰をおろしながら質問した。久美には、あの翌日、大体のことは話してあった。

「いや、裏付けなんか取れないけどね。否定する材料もない……」

「そうかなあ……。これはどう思う」

久美はハンドバッグから、一枚の紙を取り出した。

『神尾です。あの問題、その後どうですか。何の連絡もないので心配しています。もし、あれならば、ぼくとしても何とかしなければならないと思っているので……』

「これが？」

と、智は久美の顔をのぞき込んだ。

「留守番電話に吹き込まれてあった神尾さんのメッセージ」

「それはわかっているよ。しかし、これが何か？」

「これをよく読むの。いい？『あの問題』というのがあるわね。これ、どんなことだと思う？」

「さあ……」

智は首を振った。残念だが、わからない。

「男女間の大きな問題なんだけれど、男性にはわからないのかなあ。まあいいわ。では、次よ。『もし、あれならば……』というのはわかる？」

「いや……」

智は、ぶっきらぼうに答えた。

「妊娠よ」

どうだ、というように久美は言葉を投げつけて来た。

「え？　まさか……」

「何がまさかよ。雅子ちゃんだって、成人女性よ。妊娠しても不思議はないでしょう？」

「ふうん……」

智は、改めてメモに目をやった。「なるほど……。雅子が、神尾に妊娠を打ち明けていたわけか」

「というより、妊娠かもしれないという話をしたの。神尾は、医者に調べてもらえと言い、その結果を知りたがっている。そのあとにある『もし、あれならば』というのは、中絶するならばという意味じゃないかな。ぼくとしても何とかする、つまり、中絶の費用を出すということ……」

「ううん」

智は、目を閉じた。雅子の妊娠、そして中絶。どうも現実感がないが、可能性は十分にあることだった。

「これ、単なる想像ではないのよ。あたし、神尾さんを問いつめたんだから」

「君が？」

智は、改めて久美の顔を見た。嘘を言っているようには見えない。

「そう。おととい、あたし急用ができたと言ったでしょう？　あれ、神尾さんと接触するめどがついたからなの。彼、あたしがテープを持っていると言い、メッセージの解釈をしてみせると、正直に告白したわ。たしかに雅子ちゃんとお付き合いしていた、留守番電話の機械を買ってやったのも彼だ、そして雅子ちゃんから、妊娠を打ち明けられた。こうしたことを、わりにまじめな表情で認めたの」

「じゃあ、雅子は、いま彼と？」

と、智は聞いた。

「そうじゃないわ。彼、家庭があるのだもの、そんなことできないわよ。彼、妊娠したらしいと言ったまま、雅子ちゃんがいなくなったことを本気になって心配しているみたいだった……」

そのとき、電話が鳴った。智が反射的に手を伸ばした。

「はい……」

「ああ、わたしだ」

受話口から流れてきたのは、父親の声であった。「雅子から電話があったよ。ゼミの教授に頼まれて、沖縄で英語を調査しているとか……」

「沖縄の英語ですか？」

「うん、あそこには、アメリカ各地から米軍が来ていたので、いろいろな英語がまじって残っているんだそうだ。それを泊まりこみで調査しているのだとか……」

「ふうん？　そう……」

としか、智は言えなかった。

「何だ。信用しないのか？　電話には、教授も出て下さった。温厚な話し方をする人で、雅子のことをとてもほめていた……。まあ、お前にも心配かけたが、そんなわけで……」

父親の声は嬉しそうだった。


それから一カ月半後の土曜、智は木島病院に夫人の見舞いに行った。

その週の木曜、夜テレビを見ていて、木島夫人が事故に遭ったことを知ったのだった。新宿の工事中のビルから、古い材木が落ちて来て、下の歩道を通行中の木島夫人の腕に当たった……。テレビの画面には、その現場風景が出ただけで、被害者の顔は映らなかったが、名前だけははっきりと『主婦・木島香苗さん（三六）』と出ていた。

普通、こういう場合、智は見舞いに行ったりはしない。しかしこのときは、あるいは雅子について、何か情報が入っているかもしれないという期待があって、見舞いをする気になったのだ。

夫人は、夫の病院の特別室に入院していた。左手にギプスをはめられ、頭にも包帯が巻かれている。

「あのう、頭にもぶつかったのですか？」

一応の挨拶を終えてから、智は聞いた。

「それが、恥ずかしい話なの。びっくりして倒れた拍子に、ここを打って……」

夫人は、右手を後頭部に当てた。

「危なかったですね。大丈夫なのですか？」

「いろいろ検査したけれど、脳波なんかにも異常はないらしいし……。でもありがとう。あなたに来ていただけるとは思ってもみなかった」

木島夫人は、本当に嬉しそうだった。

「それから、赤ちゃんの方も？」

「え？　ああ、おかげさまで……」

木島夫人は、一瞬、目をそらした。

「それはよかった。テレビのニュースで知ったとき、一番最初に考えたのはそのことだったんです」

「それ、皮肉？」

と、木島夫人が聞いた。

「え？　そんなことありません。どうして、そんな質問を……」

智は、夫人の言葉の意味が、まったくわからなかった。

「そう……。あたくし、あなたは、すべてを見抜いているのではないか、という気がしていたんだけれど……」

「すべてをですか？」

「だって、この間、木島病院気付伊那雅子様という手紙をよこした人がいるの。差出人は江田久美さん。雅子さんが言ってたわ。お兄さんの恋人だって……」

「久美がそんなことを？　ぼくは聞いていませんが……」

そう言えば、彼女は『いまちょっとテストしていることがある』とは言っていたが。

「そう……」

夫人は、ベッドサイドのボタンを押した。

「はい……」

という声が、インターフォンから流れて来た。

「あのう、雅子さんを呼んでちょうだい」

それを聞いて、智は黙って夫人の顔を眺めていた。聞き間違いかとも思った。

「わかったでしょう？」

と、夫人が言った。「雅子さんは、ずっとうちで匿《かくま》っていたの」

「匿うって、あいつは何か悪いことをしたんですか？」

「違うわよ。でも、会っても大声でどなったりしては駄目よ。彼女、妊娠しているのだから……」

「ああ、妊娠したらしいことは、知ったんですが、では彼女は産むつもりで……」

「そう、あたくしの代わりに……」

夫人は声をひそめた。「でも、これ絶対に秘密よ。雅子さんが久美さんの手紙を読み、お兄さんだけには、本当のことを知らせておいた方がいいというので、打ち明ける気になったのだから……」

「はあ、しかし、久美は手紙で何と言って来たのです？」

「雅子さんが、神尾という人のこどもを産んで、認知してもらうつもりなのではないかって……。でも、それには賛成できない。認知してもらうのも大変だし、そのあとの子育てを考えたら、現実的な方法を取るべきだ。そんな趣旨だったわ」

「つまり、堕《おろ》せということですね」

と、智は横を向いて聞いた。彼自身も、久美の意見に賛成だった。

「でも、雅子さんが産むのは、あたしの子なの」

微妙な笑いとともに夫人は言った。

「奥さんの子というと？」

「あたし、子宮がないの。三年前筋腫のために全剔《ぜんてき》したから……」

「しかし、奥さんは妊娠を……」

智の思考は、完全に混乱していた。

「ここの病院、あたくしで三代目なの。こどもがいないと困るでしょう？　養子をもらうことになるのだけれど、どうせなら、知った人の子が欲しいでしょう？」

「すると、雅子の子を養子に？」

「そうじゃないの。雅子さんが産むと同時に、あたしが産んだことにし、法律上も、あたしの子ということにするわけ。むろん、主人も諒解済みよ」

「そんな……」

「大丈夫。雅子さんの相手の男についても調べたわ。あたし、本当いうと、人工授精の受精卵を子宮で育ててくれる人を探していたのよ。あたしは卵巣はちゃんとしているのだから、不可能ではないの。でも、雅子さんにはすでに恋人がいることがわかり、その男の人がすごく優秀らしいと知ったので、戦術転換したわけ。むろん、一年間休学する雅子さんには、それ相応のお礼をするわ。だから……」

そのとき、ドアがノックされた。本当に雅子なのか……。智は、唾をのみこんだ。

赴任せず

「主任さん、お電話です」

と、呼ばれて大江諒子《りょうこ》は振り返った。一カ月前に、この五階病棟に配属されたばかりの寺田春江が、送受器を高くかかげている。送話口を手で押さえることも知らないらしい。

諒子は苦笑しながら、電話の方に歩いて行った。

電話の主に、心当たりはある。たぶん日下部《くさかべ》であろう。彼女は、きょうあたり彼から連絡があるだろうと、ひそかに待っていたのだ。

「はい、大江です」

と、諒子は電話に出た。

「しばらく、芽室《めむろ》です」

返って来たのは日下部の声ではなかった。

「あら……」

諒子は眉をしかめた。まったく考えもしない相手だった。

「元気そうですね。実は、ちょっとお目にかかれないかと思って電話したんだけれど」

「どんなご用でしょう?」

諒子は、切口上で聞いた。

「日下部君についてなんだ。あなたに聞きたいことがあってね」

「でも、どういう……」

「電話ではまずいんだよ。ほんの十分でいいから……。実は、この電話、病院の玄関からかけているんだ」

「わかりました。すぐ行きます」

諒子は、壁の時計に目をやった。一時五分だった。十分ぐらいなら、ここを留守にしても差し支えないだろう……。

ちょっと面会人に会って来る、と断ってから諒子はナースセンターを出た。

芽室に会うのは……と、諒子はエレベーターの中で考えた。一年半ぶりということになる。

それにしても、日下部が転勤になると同時に接触して来たのは、どういうつもりか。あわよくば再び……というような下心が窺われる。諒子は唇を噛んだ。

エレベーターを降りると、すぐに芽室が目に入った。いかにも有能なビジネスマンらしい服装は、以前と同じだったが、顔は少し太って見える。

「どうも……」

芽室は、照れたような笑いを浮かべて言った。

「ごぶさたしています」

と、諒子も頭を下げた。「みなさまお元気ですか?」

「ええ、ご家族のみなさま」

諒子は、しかし、自分に驚いていた。芽室の家族のことなど、聞く気はなかったのだ。

ところが、彼の顔を見たとたんに、言ってみたくなった。一種の嫌味かもしれない。

「ああ、おかげさまで……。元気過ぎるくらいで、困っていますよ」

先刻の電話とは違い、芽室の口調は丁寧だった。

「あら、結構じゃありません？　ご家族が元気なのが何よりですわ」

「ええ、まあ……」

「あのう……。お話って、どんなことでしょう？」

と、諒子は口調を改めて聞いた。芽室と世間話をしても始まらない……。

「うん、ちょっと出られませんか？　立ち話ではどうも……」

「だめですよ。勤務中だもの。でも、地下の食堂なら……」

「食堂？　しかし、あまり人がいるようだとまずいんだけれど」

「さあ……。もう、一時過ぎだし、そんなにこんではいないと思うわ」

諒子は、先に立って階段に向かった。

階段を降り切ると、芽室が諒子の右横に来た。その瞬間、オーデコロンの匂いがし、

諒子ははっとした。彼は以前と同じオーデコロンを使っているようだ。

外から見ると、食堂には空いたテーブルがいくつもあった。

「食券を先に買うの？」

と、芽室が聞いたとき、院内放送のチャイムが鳴った。

「あとでいいの……」

と、小声で言って、諒子は耳を澄ませた。日下部からの電話を彼女は考えたのだ。ナースセンターに電話があれば、院内放送で呼んでくれるはずだ。

しかし、その放送はX線技師に対する呼び出しであった。


「実は、日下部のことなんだけれど……」

注文した紅茶が運ばれて来ると、芽室が切り出した。「何か聞いているんでしょう？」

「何かって？　転勤のことですか？」

日下部は、今度の異動で札幌支社の広報課長になり、二日前の昼ごろ羽田を発った。

その前夜、諒子は彼と一緒に羽田のホテルに泊まった。

『じゃあね。落ち着いたら電話ちょうだい』

『うん。君も例のこと、ちゃんと考えてくれよ』

それが、ホテルの玄関で別れたときの会話だった。会社の関係者が見送りに来ている場合を考慮し、諒子は空港には行かなかった。

転勤が決まったとき、日下部は諒子に向かって、この機会に病院をやめ札幌に一緒に行ってくれないか、としきりに口説いた。『例のこと』とは、そのことであった。

「まあ、転勤のことには違いないが……」

芽室は、探るような目で諒子を見つめた。

「どういうことなんです？　はっきり言って下さい」

「うん、彼がいまどこにいるか、あなたなら知っているんじゃないかと思ってね」

「札幌の住所のこと？　ううん、まだ連絡が来ないの」

と、諒子は言った。札幌では、支社がマンションを用意してくれるという話だった。

「いや、そうじゃなく……」

芽室は、天井を見上げるようにした。

「じゃあ……」

「要するにね。彼は向こうに行っていないんだよ」

「向こうって、支社に？」

「うん。打ち合わせでは、おととい着任ということになっていた。ところが、姿を見せないというんで、きのうこっちに問い合わせが来たんです。それで、あなたに聞けば、何か事情がわかると思ってやって来たんだけれど……」

「そんな……。だって、あたし羽田で見送ったのよ」

「それはいつ？」

「おととい……」

「飛行機に乗るところをちゃんと見たの？」

疑わしげに、芽室が聞いた。

「ううん」

諒子は首を振った。「第一、羽田じゃあ、飛行機に乗り込むところなんて見えないでしょう？」

「そうか……。じゃあ、ゲートのところで別れたわけ？」

「いいえ、会社の人が見送りに来ているという話だったし……」

「会社の者が？　彼がそう言ったの？」

「ええ……」

諒子は、あいまいに答えた。

「変だなあ、彼は飛行機の時間を会社の者には言っていないんですよ。見送りなんかいいよ、と言って教えてくれなかったという話です」

「そうですか……」

諒子は、首をひねった。

「すると、あなたが見送ったというのは、どこで？」

「ホテルの玄関」

諒子は、言ってから目をそらした。

「ホテルって、ああ羽田のホテルに泊まったわけか……」

芽室は、微妙な笑みを見せた。かつて芽室が出張する前夜、やはりそのホテルに一緒に泊まったことがある。彼もそれを思い出したのだろう。

「それで、見送りのことなんだけれど……」

と、芽室が言葉を続けた。「彼の方から、会社の者がいるから、空港には来るなと言ったんですか？」

「そう念を押されると……。あのねえ、あたしの方から、会社の方も来ているんでしょうって聞いたんだと思うの。そうしたら、うんと言ったので……」

そのときの諒子の意識では、『会社の方』の中に芽室が含まれていた。そして、芽室に顔を合わせたくないという心理が、たしかに働いていたのだ。

「飛行機の便名はわかりませんか？」

「さあ……。聞いたかもしれないけれど、覚えていません。たしか十二時何分とか……」

「すると、札幌行きに乗ったかどうかもわからないわけだ」

「でも……」

「まあ、航空会社を調べてみるつもりですがね」

芽室は、深刻そうに眉を寄せた。

しばらくの間、二人は互いに黙っていた。芽室が何を考えていたのかわからないが、諒子の方は、頭の中に渦ができ、混乱し切っていることによる沈黙であった。

諒子は、溜息をついて、芽室を見た。その瞬間、ふと気付いたことがあった。そして、それをそのまま口にした。沈黙の重さに耐えられなくなり、話題が見つかったことにほっとした格好であった。

「芽室さん、ここでは、煙草喫《す》ってもいいのよ」

「え？　ああ」

どういうつもりか、芽室は肩をすくめた。

「あたしね、さっきから、芽室さんの感じが前と違うように思っていたんだけれど、その理由にいま気がついたの。芽室さんて、昔はこういうところに座ると真っ先に煙草を出したでしょう。ところが、きょうは、さっきから一本も喫っていない。それで、ちょっと変だったのじゃないかしら……」

「煙草、やめたんですよ」

芽室は口をゆがめるようにして言った。

「本当？　驚いたわ。よくやめられたわね。入院してもやめられなかった人が……。辛くなかった？」

「それは、辛かったけれど、もう一つの辛さにくらべれば、禁煙の辛さぐらい何でもなかった」

「もう一つの辛さって？」

と、諒子は聞いた。こんなことを話している場合じゃない、という気もどこかにあったが、言わばはずみであった。

「だれかさんに振られたこと……」

芽室は、真正面から諒子を見つめた。

「そんな……」

諒子は、反射的に口にした。付き合っていたころ、芽室は諒子を指して『だれかさん』と言うことがよくあった。

「本当ですよ」

芽室の視線は、相変わらず、諒子に向けられたままだった。「あのころは、しじゅうあなたの夢を見たんだもの」

「ずるいわね。日下部にあたしを紹介したのは、芽室さんじゃないの」

諒子は、横を向いて言った。

「しかし、あんな風にすぐ乗り換えられるとは思っていなかったもの……」

「失礼ね。乗り換えたなんて……。芽室さんが勧めたんでしょう？　だからあたしは、ああ芽室さんは、あたしに飽きたんだなって思って……」

「まあまあ」

芽室は、顔の前で手を振った。「いまさらそんなことを話してもしょうがない。それより、日下部のことだけれど……」

「ねえ」

諒子は、身を乗りだすようにした。「あなた、あたしとのこと、彼に話してないでしょうね？」

「言うわけないでしょう。どうして？」

「ううん、ちょっと……」

諒子は、首を振った。何かの折りに、日下部が芽室と彼女のことを知ったとしよう。彼は裏切られた気になり、しばらく姿を隠す。ふと、そんな可能性を考えたのだ。

「それより、彼、札幌に行くことをどう言っていた？」

芽室は、話題を変えた。自分に都合が悪くなると別の話題を見つける癖は、まだ治っていないようだ。

「どうって、喜んでいたみたいよ。内示があった日、あたしのところに来て……」

それは嘘ではなかった。支社の課長というのは一度は通る関門であり、ことにいきなり札幌のような大きな支社に行けるとは思っていなかった……。日下部は、そんな説明をして、こどものようにはしゃいでいた。

「それが内示のときね。正式に辞令が出てからは？」

と、芽室が聞いた。話し方から、あの他人行儀の丁寧さが抜けている。

「同じだと思うけれど……。あたしに辞令を見せて、一緒に札幌に行かないかって……」

「ははあ、彼、そういうつもりだったのか。で、あなたは、何と答えたの？」

「あたしは……」

諒子は、ゆっくり首を振った。「だって、急なお話でしょう？　それに、もう少しいまの仕事を続けたい気持もあって……」

「じゃあ、断ったの？」

芽室は、非難するように、諒子を見た。

「断ったのではなく、もう少し考えさせてくれって……」

「ふうん……。それから、辞令が出たあと、彼は一度打ち合わせに向こうに行っているんだけれど、帰って来てから、何か言っていなかった？」

「さあ……」

諒子は、記憶を探った。とくに思い出すようなことはなかった。

「実はね。支社の連中、それを心配しているんだよ。打ち合わせのときに、何か気に入らないことがあって、転勤が嫌になったのではないかなんて……」

「まさか……」

と、諒子は笑った。「こどもの登校拒否じゃあるまいし……」

「しかし、それなら、どうして……」

「ねえ、札幌支社に芽室さんのよく知っている方はいないの？」

「いるよ。小菅という、やはり同期の奴が。そいつが、心配して電話をくれたんだ」

「その小菅さんにあたしが電話してはいけないかしら？」

「それは構わないだろうが……。よし、小菅君には、ぼくから電話を入れて説明しておこう。そのとき、あなたのことを婚約者と言っていいですね？」

「いいけれど、でも……」

「そうでも言わなければ、話してくれないと思うんだ。日下部君が赴任していないというのは、まだ秘密事項だから……。それからいまの話、絶対にだれにも言わないで下さいよ。マスコミに知られたりすると面倒だし……」

「わかったわ」

「ええと……」

芽室は、名刺を出し、その裏に札幌支社の代表電話番号と小菅の内線番号を書いてくれた。


芽室は『乗り換えた』という表現をした。現象的には、たしかにそんな形ではあった。日下部との付き合いが始まると同時に、芽室とは別れたのだから……。

しかし、諒子自身の気持では、『乗り換えた』のではなかった。二人の男に対する付き合いは最初から質が違うのだから……。

日下部系一郎と最初に顔を合わせたのは、一昨年の暮れであった。新橋駅の近くで開かれた内科関係ナースの忘年会が終わり、諒子は一人で地下鉄の駅に急いでいた。二次会にも誘われたのだが、睡眠不足ぎみなので、早く帰って休もうと思っていたのだ。

その諒子の背後から、だれかが、

『大江さん』

と呼びかけた。

振り向いた諒子は、

『あらっ』

と、声を弾ませた。芽室であった。ついている、と彼女は思った。芽室とは、二週間ぐらい会っていなかった。二次会を断ってよかった……。

しかし、次の瞬間、諒子は表情を緊張させた。

『忘年会ですか？』

と、芽室が丁寧な言葉遣いをしたからである。しかも、彼のそばには、ほぼ同年配の男が立っていた。

『ええ』

と、だけ諒子は答えた。芽室には家庭がある。彼との関係はできるだけ隠さなければならない。

『どうです？　よかったら、付き合ってくれませんか？』

芽室が誘った。

『ええ、でも、お友だちが……』

『彼なら構いませんよ。紹介しましょう。会社の仲間で日下部君。それから、こちらは、入院しているときお世話になった主任ナースの大江さん』

芽室は、そんな風に二人を引き合わせた。

その夜連れ立って行ったバーで、日下部が離婚経験者であることを知った。芽室が、それをばらしたのである。

そして、芽室は日下部に対して、

『おい、君も立候補したらどうだ？　大江さんも独身だから……』

と、けしかけるようなことを言っていた。

『ああ、そうなんですか？　しかし、ぼくみたいな前科者はだめでしょう？』

『そんなことありませんわ。あたしなんか、もうおばあちゃんで、この間も高校生のいる人の後妻さんの話が来たんですよ』

諒子は、芽室の腿をつねりながら、そんな受け答えをした。気分が多少華やいでもいたらしい。

そして、その夜、日下部がタクシーで諒子を送ってくれた。だが、それは芽室が、

『日下部君が送るそうです。同じ方向だから、どうか遠慮しないで……』

と、二人を同じタクシーに押し込んだのだった。

翌日、諒子は病院の公衆電話から、芽室の会社に電話をかけた。前夜のことについて

抗議をし、釈明を求めるつもりだった。だが、彼は外出中とかで連絡がつかなかった。

あとで、もう一度電話しようと思っているうちに、日下部がナースセンターに電話をかけて来た。

一度人間ドックに入った方がいいと思っているのだが、費用はどのくらいのものか、というのが用件だった。

『ああ、それでしたらパンフレットを送りますわ。ドックにもいろいろなコースがありますから……』

『いや、お手数かけては悪い。取りに行きますよ。本当のことを言うと、もう一度あなたとお会いしたいので……』

『でも……』

『取りに行っては迷惑ですか？』

『いいえ、そんなことはありませんが……』

と、諒子は答えた。この場合、それが自然だった。

『じゃあ、あとで行きます。勤務は何時までですか？』

『きょうは、六時には終わりますが……』

『六時ね。では、そのころ参ります』

その言葉通りに、夕方、日下部は病院にやって来た。そして、食事をご馳走してくれ、その席で、これからもときどき会ってくれと申し込まれた。

『いいんですか？　こんなおばあちゃんでも……』

諒子は、こう答えるほかはなかった。まさか、芽室との関係を打ち明けるわけにはいかない。

それに、そのときすでに、彼女は日下部に好感を持ち始めていた。話題が豊富だったし、外観にしても、芽室よりむしろ男前であった。

その翌日、諒子は芽室に電話をした。

『きのう、日下部さんとデートしちゃった』

『ふうん、それで、どうだった？　いい奴だろう？』

『ええ。それでね、これからも会ってくれと言われたんだけれど……』

と、諒子は言った。

『そう……。で、君は？』

『もちろん断ったわ。実は芽室さんの愛人なんだと……』

『え？　本当か？』

芽室は、驚いたように言った。

『嘘よ。でも、そう言った方がいいなら、打ち明けるつもりだけれど……』

『うん……。おれには、君を束縛する権利はないしな』

『わかりました。一応、お断りしておこうと思っただけ。あとで、何とか言われるのはいやだから……』

諒子は、切口上で言って電話を切った。

こうして、日下部系一郎との付き合いが始まったのだった。

自分が飽きた女を友人に押し付けた。あとから考えると、芽室の態度は、そう解釈できないでもない。あそこで遇ったのは偶然なのだから、芽室にしても、最初から計画したものではないだろう。ただ、バーで話しているうちに、多少の酔いも手伝って、諒子を日下部に結びつけることを考えたのではないだろうか。

当時、諒子は三十三歳だった。芽室が心のどこかに、そろそろ別れなければ、という意識を持っていたとしても不思議はない。それで、あの夜、あんな形で出てしまった……。

と言って、そのことで、諒子が激しい怒りを芽室に対して持ったということはない。諒子にしても、芽室との関係は、言わば遊びであった。彼に妻子があり、しかも家庭を捨てる気がないらしいのは、最初からわかっていた。

『ねえ、約束しない？　お互い、あんまり熱くならないこと。あたしだって、まだ結婚を諦めたわけではないし……』

最初のとき、ベッドの上で諒子はそう言った。

『わかった。結婚するとき、おれがつきまとったりすると困るというわけだね？　大丈夫だよ。そんなことはしない』

そんなやりとりで出発した仲である。そして、二人は定期的に会っていたわけでもなかった。十日に一度くらいの割で、芽室が誘いの電話をかけて来て、その日諒子の都合が悪くなければ、彼を部屋に迎えるという形であった。

だから、諒子にしても芽室を『恋人』とは考えなかったし、自分が芽室の愛人だという意識もなかった。

一方、日下部は『結婚したい』ということを、比較的早い時期から口にしている。諒子も、彼ならば、結婚してもいいな、という気になり出していた。ただ、もう少し勤めると退職金の額が違ってくるので、家庭に入ってしまう勇気がなかった。

日下部は、妻が外で働くことに反対だと言っていた。

『前の女房で懲りたんだよ。友だちのブティックを手伝っているうちに、男ができちゃって……』

それで離婚してくれ、と言われたのだそうだ。

札幌への転勤が決まったとき、日下部は、まず最初に諒子を連れて行くことを考えたという。ことによると、彼の中に、女性一般に対する不信感があるのではないか。遠く離れている間に、浮気をされては困る……。だからこそ、あのように、何度も一緒に行ってくれと頼んだのかもしれない。

それに気づいていながら、諒子は首を縦に振らなかった。

まったく未知の土地に行き、しかも家の中で夫の帰りを待っているという生活に自信が持てなかったからだ。

しかし、諒子は『絶対に行く気がない』とは、日下部に言っていない。そうはっきり表明して、日下部に去られるのを恐れていたのだ。

諒子は、日下部とのベッドの中で、

『好きよ。捨てちゃいやよ』

と、よく言った。『もし、ほかに女の人ができたら、会社に乗り込んでやるから……』と言ったこともある。『愛』という言葉こそ使わなかったが、このせりふには、嘘はないつもりだった。そして、それらは芽室に向かっては一度も口にしたことがないものでもあった。

だから、日下部と芽室とでは、付き合い方の質に差がある、というのは諒子の実感であった。


翌日、諒子は準夜勤だった。午後四時から十二時までの勤務である。

正午ちょっと前、彼女は思い切って、マンションの自分の部屋から、札幌に電話をかけてみた。

最初に出た交換手に、芽室から聞いた内線番号を言うと、

「失礼ですが、お宅さまは？」

と、問い返された。

「東京の大江と言います。小菅さんに……」

「はい、お待ち下さい」

そして、次に響いてきたのは、

「はい総務課です」

という男の声であった。

「恐れいります。小菅さんに……」

「わたしです。大江さんとおっしゃいましたね。芽室君から聞いております。何かわかりましたか？」

小菅の口調には、期待が込められていた。

「いいえ、あたしの方には何も……」

「ははあ、やはり連絡がありませんか……」

小菅の声は小さくなった。

「あのう……、そちらにも何も？」

「ええ……。ところで、日下部君はいつも名刺は持っていますね」

「は？　名刺ですか？」

「ええ。といいますのはね、どこかで倒れてしまったのではないかなんてことも考えたんですよ。しかし、名刺があれば、会社の方に連絡があると思うし……」

「はい、それに手帳の第一ページには、緊急の場合の連絡先なんかも書いてありました」

それを一度見せてもらったことがある。急病の場合の緊急連絡先として、諒子の勤めている病院の名と『ナース大江諒子』と書かれていた。

「そうですか、じゃあ、記憶喪失というわけでもないですね」

「記憶喪失なんて……」

「いやいや、こちらとしてもいろいろなケースを考えたのですよ。この前、こちらに来たときは、とても張り切っていましたからね。だから、突然行方不明になった意味がわからないんです」

「はあ、あたしも、きのう芽室さんに聞いてびっくりしてしまい……」

「札幌に知り合いは？」

「彼の知り合いですね。いないと思います。何も言っていませんでしたから……。札幌には、十年ぐらい前に、一度行っただけだとか……」

「十年前ですか？　すると会社に入ってからですね。出張でしたか？」

と、小菅が聞いた。

「さあ……。あ、そうではなく夏休みを取ってだとか……」

諒子は、思い出して言った。転勤の内示があった日に、そんな話をしたのだった。

『じゃあ、前の奥さんと一緒なんだ』

と、そのとき、諒子は言った。

『そうじゃないよ。あいつ、間際になってから、勤めているブティックが忙しいとか言い出し……。実際は留守中に、男を家に引き入れていたんだ』

『ご免なさい。変なことを思い出させちゃって……』

「ふうん……」

と、小菅が唸った。

「あのう……、それが何か……」

「いやいや、別に……」

小菅の言い方は、諒子の気になった。何か隠していることがあるようだ。

しかし、顔も見たことのない相手に、それ以上の質問はできない。

諒子は、もし、わかったことがあったら連絡すると言って電話を切った。

彼女は、芽室にも電話してみた。

「ああ、連絡があった?」

芽室も、最初に小菅と同じことを聞いた。

「ううん……。札幌の小菅さんにも電話してみたんだけれど……」

「あいつ、困っていたでしょう? 警察に届けた方がいいかどうかって、今朝も電話をして来た」

「警察に?」

「うん、記憶喪失になって、どこかで保護されているのではないかなんて……」

「ああ、あたしにもそんなことをおっしゃったわ」

「それでね。警察への届けは、もう少し待った方がいいと言っておいたんだ。広報課長がいなくなったとなれば、北海道の新聞にとっては、ちょっとしたニュースだろうから、大々的に書くと思うんだ。それで、あとで出て来たなんてことになったら、引っ込みがつかない。彼としても、辞表を出さざるを得なくなる……」

「それはそうだけれど……」

諒子は、不安だった。警察への届けが遅れたために、取り返しがつかない事態になることはないだろうか……。

「どうしたの？　何か……」

「それから、小菅さんと話していて、ちょっと感じたんだけれど、あの人、何か心当たりがあるのじゃないかしら？」

「心当たりが？　なぜ？」

「ちょっとした勘なんですが……」

諒子は、小菅とのやりとりを説明した。

「ふうん……。じゃあ、それとなく聞いてあげますよ」

芽室は、そう請け合った。思ったより、芽室は友人思いのようであった。

その電話がかかって来たとき、諒子は病院に出るための準備をしていた。病棟勤務だから、濃い化粧は禁じられているが、ある程度は顔を整えて出たい。鏡に向かっているときに、電話のベルが鳴ったのだった。

諒子は、椅子から立ち上がり、走るようにして電話に出た。予感めいた胸騒ぎがしていた。

「はい、大江です」

「ああ、間にあった」

と、相手は言った。「きょうは準夜のはずだから、もう家を出てしまったか、と心配しながら電話したんだ」

「あ、いまどこなんですか？」

諒子は、声をひそめて聞いた。電話は日下部からであった。声をひそめたのには別に理由はない。日下部の声を耳にした瞬間、自然にそうしてしまったのだ。

「居場所は、ちょっと言えないんだ」

「じゃあ、札幌ではないのですか？」

「うん……。妙なことになってね」

電話は、屋外かららしい。かすかだが、背後の物音が入って来る。

「妙なことって……」

と、諒子は聞いた。日下部から連絡があったら尋ねようと、あらかじめ考えていたこともあったのだが、いざとなると頭の中は空白になってしまっていた。

「あの日、千歳空港に降りて、預けた荷物が出て来るのを待っていたところ、じっとこっちの顔を見つめている女性がいるんだ。女性と言っても、こども連れの人なんだが……」

「……」

「最初は、偶然に目があっただけだと思っていたんだ。しかし、どうもそうではなく、ぼくの顔を見ているらしい」

「じゃあ、知り合いだったの？」

諒子は、催促するように聞いた。時間も気になっていた。

「知り合いというのではないんだな。ぼくの方でも、どこかで会ったことがあるような気がして……。そのうち、もしかしたら、と思い出したことがあった。とたんに、全身から冷汗が出て来て……。やっと出て来た荷物を受け取ると、逃げ出していたんだ」

「逃げ出したって、どうして？顔を見られてはまずい人だったの？」

きょうの日下部はどこか変だ。いつもの彼は、もっと筋道の立った話し方をする。諒子は、そんな考えに囚われた。しかし、相手が日下部であることは間違いない。

「うん……。昔、札幌でちょっとした事件にぶつかってね。その関係で……」

「昔って、夏休みに札幌に行ったときのこと？」

と、諒子は聞いた。

「え？　君、どうしてそんなことを知っているんだ？」

とがめるように日下部が反問した。

「いやだわ。前にあなた、話してくれたじゃない？」

「あっ、ご免」

急に、日下部の口調が変わった。「また、機会をみて電話するから……」

そこで、一方的に電話は切れてしまった。

諒子は、鏡の前に戻り、しばらくの間ぼんやりしていた。

いったい、いまの電話で日下部は何を言いたかったのか。現在の居場所も明かさなかったし、支社に赴任していない理由も、あの電話ではわからない。単に意味ありげなことを匂わせただけだった。

「でもいいわ。生きていることだけはわかったんだから」

諒子は、最後にこう言って立ち上がった。しかし、それは実感のこもった言葉ではなかった。彼女は、いまの電話が来る以前から、日下部が死んでいる可能性など、ほとんど考えていなかったのだ。はっきりした理由はないが、不思議にその心配はしていなかった。

諒子は、出かける前に芽室に連絡をとってみようと思った。

日下部は、別に電話のことを口止めしなかったのだから、芽室に知らせても、彼を裏切ることにはならないだろう……。

幸い、芽室はすぐにつかまった。

「電話が来たの」

真先に諒子は言った。口調が甘くなっているのが自分でもわかり、それが少しくやしかった。

「電話って彼からの？」

芽室は、弾んだ声で聞いた。「で、いまどこにいるの？」

「わからないの。というより、言いたくないらしいの……」

「ふうん……。言いたくないと、彼が言ったわけだね？」

「そうなの。とても変な電話で……。話しぶりもいつもの彼とは違っていたし……」

「声は？」

「声は彼のもの。だから、彼からの電話であることは間違いないんだけれど……」

「もう少し詳しく話してくれない？　彼はどんな風に……」

「千歳空港で荷物が出て来るのを待っていたときに……」

諒子は、日下部の電話を思い出しながら、芽室に報告した。

途中で、泣きたくなり、それが芽室に気づかれてしまった。

「どうしたんです？　あなたらしくないな。とにかく、しっかりして下さい」

芽室は、なぜか、また他人行儀の口調を使って、慰めてくれた。

翌日、自宅に芽室から電話があって、諒子は会社の近くで彼と会った。この日は、泊まり番だから、夜の十一時までに出勤すればいい。

待ちあわせた喫茶店には、奥に個室があって、芽室はそこに諒子を案内した。

「これを見て下さい」

その部屋に入っても、しばらく黙っていた芽室は、コーヒーを運んで来たウェイトレスが姿を消すと同時に、テーブルの上に紙を拡げた。新聞記事を拡大コピーしたものであった。

「北海道で発行されている大北斗新聞のコピーです。けさ、札幌支社から、ファクシミリで送ってきたもので……」

その記事をひと目見た瞬間、諒子は息をのんだ。

記事には、似顔絵が載っていたのだが、それが日下部の顔にそっくりだったのだ。

「これは……」

「殺人事件犯人の似顔絵です」

突っぱねるように、芽室が説明した。「ほら、ここに日付けがある。十年前の八月九日です。事件は六日の夜に起き、死体は翌七日に発見された。そして、警察が目撃者の証言をもとに作った絵が、この顔なんですね」

「じゃあ、日下部が犯人なの？」

「そうは断定できないけれど……。彼の昔の勤務記録を調べたところ、八月七日までが休暇で、八日には会社に出ています。つまり、彼は事件のころ、札幌にいたことになる」

「でも、この新聞記事、どうやって見つけたんですか？」

諒子は、そこに疑問を持った。

「きのう、あなたから聞いた彼の電話です。彼はある事件に関係したというようなことを言ったんでしょう？　それで支社に連絡し、当時の札幌で、どんな事件があったかを調べてもらったんです。小菅君が新聞社で縮刷版を見ているうちに、この似顔絵が見つかったというわけ……」

「そう……」

諒子は、もう一度、その絵を見た。間違いなく日下部系一郎の顔であった。

「当時、札幌にはデート喫茶というのがありましてね。被害者は、そこのホステスなんです」

喫茶という名前はついているが、一種の売春組織だったらしい、と芽室は説明した。店には、何人ものホステスがいて、客の席に着く。客は彼女たちの中から気に入った子を指名し、店にいくらかの金を払って、外に連れ出す仕組みだった。

「被害者は、ホテルではなく自分の部屋に男を連れて行ったらしいんですね。それで、何かのきっかけで殺されてしまった。絞殺です。警察は、そのデート喫茶の店に行って、ホステスたちの証言から、前日被害者を連れ出した男の似顔絵を作ったわけでしょう。ところが、日下部君の方は、すでに東京に帰っていたので、捜査の手がまわらなかった」

芽室は、日下部が犯人であると断定したような言い方をした。

「でも……」

意味もなく、諒子は言った。

「恐らく……」

芽室は、諒子を遮って続けた。「千歳で、彼の顔を見つめていたというのは、当時、そのデート喫茶にいた女性だと思うな。警察に協力してモンタージュまで作ったのだから、男の顔ははっきりと覚えているでしょう。その男によく似た顔を見て、彼女はびっくりして日下部君を見つめていた……」

「そうね」

諒子は溜息をついた。たしかに芽室の説明は、理屈にあっているように思われた。

日下部が犯人だとしたら、そういう場合、思わず逃げ出したくもなるだろう……。

「ねえ、どうしたらいいの？」

諒子は、溜息とともに言った。

「うん。もし、もう一度、彼から連絡があったら、自首を勧めることでしょうね。それしか……」

「会社の方は？」

「このままじゃあ、懲戒免職になるだろうな。職場放棄だもの。彼としては、札幌支社にはとても恐ろしくて勤務できない。と言って一度発令されたものを取り消してくれとも言えず、困り切って身を隠したんだろうが……」

芽室の口調は、意外なほどさっぱりしていた。

また、そのうち電話をする、と言った日下部だったが、以後半月間、何の連絡も諒子によこさなかった。

芽室には、何回か電話をかけ、食事も一度だけ一緒にした。芽室が、激励してくれるというので申し出を受けたのである。

だが、その一度で、彼女は懲りてしまった。どういうつもりなのか、彼は露骨な言葉で、諒子を誘ったのだ。

『どう？　我慢できる？　寂しくてしかたがないというのなら、いつでもご用立てしますよ。ぼくなら、あとくされがないから、キャリアウーマンの遊び相手には、ぴったりだと思うけれど……』

『芽室さん、もう酔っぱらったの？』

諒子は、笑いながらたしなめた。しかし、彼にはそれが通じなかった。

『うん。少しは酔っているかな。でも、ご心配なく。酔っていても、小生の息子は元気いっぱいです』

そして、芽室は、粘りつくような目で、諒子の顔をのぞき込む。

『あたし、失礼するわ』

と、諒子は立ち上がった。まだ、デザートが残っていたが、芽室と話をする気がなくなっていた。

芽室も、諒子を引き留めようとはしなかった。

それ以来、芽室とは連絡していない。そのため、会社の方の情報を得られず、日下部がすでに懲戒免職になったかどうかもわからなかった。

しかし、日下部のことは、もうどうでもいい、という気に諒子はなっていた。

芽室が言った通り、日下部は殺人者なのだろう。そうとしか説明できない。

つまり、諒子は殺人犯人と結婚しようとしていたことになる。危ないところだった、と彼女は思った。

彼女が札幌について行ってから、その事実がわかったとしよう。諒子は、知らない土地でひとりだけ投げ出されることになる。すでにいまの病院を退職しているわけだから、すぐにも、職を探さなければならなかった……。

早くわかったことが、せめてもの幸せなのか……。

日下部とのことは、やはり『愛』ではなかった、と諒子は考えた。もし、日下部を愛していたのなら、たとえ彼が殺人者とわかっても、彼について行く気になったろう。だが、現在の彼女には、とてもそんな気持はない。日下部とのことも、一種の事故と考えるようになっていた。わずか半月間で、このように変わってしまった自分に、諒子は驚いていた……。

それでも、日下部のことを完全に忘れたわけではなかった。『大北斗新聞』の東京支社に行って、日下部の事件を調べてみようという気になったのが、その証拠である。きっかけは、偶然、街で加賀隆と遇ったことだった。

加賀は、大北斗新聞の記者で東京支社に勤めている。かつて胆嚢炎で諒子の病院に入院していたことがあり、諒子を見かけて声をかけて来たのだった。

そして、加賀の口から、東京支社にも縮刷版があるのを聞き、例の事件をちゃんと知っておこう、という気になった……。

非番の日に、諒子は加賀を訪ねて行き、縮刷版を見せてもらった。

最初に問題の八月九日の紙面を開いた。

その瞬間、諒子は、

「あっ、これ……」

と、驚きの声を上げた。紙面の体裁は、芽室に見せられたコピーと変わらない。左の方に殺人犯人の似顔絵も載っている。しかし、その似顔絵が、日下部ではないのだ。パンチパーマをかけた髪、角ばった顎。まったくの別人だった。

「加賀さん、これ変よ」

と、諒子は叫んだ。

「え？　どこがです？」

「この犯人の絵。あたしが見た新聞と違っているわ」

「そんなばかな……。どういうことです？」

と、加賀が笑いながら聞いた。

「あたし、この前、この新聞のコピーを見たのだけれど……」

諒子は、簡単に説明した。

「ああ、それはコピーだからですよ」

加賀は、無造作に言った。

「どういうこと？　コピーすると、変わってしまうの？」

「変わってしまうというより、偽造ができるということですよ。いいですか？　縮刷版のこの似顔絵の部分に白い紙を当ててコピーを取る。つぎに、そのコピーの白いところに、別の似顔絵を描いてから、もう一度コピーを取ります。そうすれば……」

「ああ……」

諒子は唸った。ことに、芽室が見せてくれたのはファックスで送られたものだという。本物かどうかの見分けはもっと困難になっていただろう。

「いったい、どうしたのです？」

と、加賀が聞いた。「もし、差し支えなかったら……」

「そうですねえ……」

諒子は、話してみる気になった。あの似顔絵が偽造とすると、日下部は殺人事件とは無関係ということになる。それなら、なぜ、姿を消しているのか。加賀にそれを調べてもらいたかった。

「なるほど……。その日下部さんという人は札幌に赴任していないというのですね。ちょっと待って下さい」

聞き終わった加賀は、一旦別室に行き、五分くらい経ってから戻って来た。

「札幌の本社の経済部に電話をして聞いてみたところ、日下部さんの会社の札幌支社広報課長は、去年から変わっていないそうです」

「ああそれは、彼が赴任しないために……」

「いや、そうじゃないらしい。広報課長は、去年東京から来たばかりだから、一年で変わることはないと……」

「だって、あたし、日下部さんの辞令を、この目でみたのよ。ちゃんとワープロで……」

「しかし、ワープロなら、だれでも打てますよ。会社の社印はどうなっていました？」

「四角いことだけは覚えているけれど、そこまでは見なかったから……」

「じゃあ、それも贋物かもしれない」

加賀が断定するように言った。

「でも、なぜ、そんなことをして……」

言いながら、諒子は大体の察しをつけていた。

芽室も小菅も日下部の同期生だという。恐らく、日下部に、もっといい縁談が持ち込まれたのだろう。それで、ごたごたを起こさずに諒子と別れるために、三人が共謀して、妙なストーリーを考え出したのではないか。日下部は、たぶん、前と同じように東京の本社にいるのだろう……。

「………」

加賀が何か言った。聞き取れなかったが、諒子は笑ってうなずいた。もう日下部のことなどどうでもいい……。

現れた娘

五時五分前、やがて終業のベルが鳴る。

塔森恭一は、コンピュータのディスク・ドライブから、フロッピーを抜き出し、整理ケースに納めた。帰りを急いでいるわけではないが、ちょうど仕事のけりがついたところだった。

そのとき、隣りの席の宮川が、

「おい、塔森君」

と、恭一に声をかけた。

「はい……」

恭一は、緊張して答えた。ことし入社したばかりの恭一にとっては、課の全員が先輩ということになる。その中でも、最初から仕事を教えてくれた宮川には、畏敬に近い気持を抱いていた。終業時刻前に、帰り支度をしたことで、何か言われるのではないか……。

「君に電話だ、美人からだよ」

宮川は、冷やかしの混った目で恭一に笑いかけ、送受器を恭一に突き出した。

電話は全社ダイヤルインになっているが、恭一はまだ番号をもらえず、宮川のそれを借りるという形になっていた。

「すごいな、宮川さんは、電話の声だけで美人かどうかわかるのですね」

宮川の笑顔に誘われ、恭一は軽口を叩きながら、送受器を受け取った。

「はい、塔森ですが……」

恭一には、僅かながら警戒心が働いていた。会社に電話をよこす女性に心当たりはなかった。入社して三カ月、いままでに一度もそうした例はない。

「こんにちは……」

張りのあるいい声だった。宮川でなくとも、美人という印象を持つだろう。

「はい……、失礼ですが……」

「企画一課の藤瀬です。わかる？」

「藤瀬さんですか？　あのう、ぼくは塔森ですが……」

何かの間違いだろう。恭一はそう考えたのだ。相手の名前にまったく覚えがない。

「ええ、知っているわ。塔森さんに電話したんだもの。塔森恭一君でしょう？　あたし、実はきのうあなたに会っているの。そう言ってもわからない？」

「きのうですか？　さあ……、すみません」

恭一を『君』と呼んだことからみて、相手は、たぶん年長者だろう。恭一は、言葉遣いに気をつけていた。

「そう、がっかりだな。エレベーターで君と二人だけになったんだけれど……」

「ああ……。では、五階で降りられた……」

「ピンポン……。正解。それでね、電話したのは、ちょっと話がしたいからなの。君、きょうの都合は？」

「きょうですか？　別に予定はありません」

恭一は、事実そのままを言った。

「そう、よかった」

藤瀬は、それまでとは違ったいかにも嬉しげな声を出した。

「じゃあ、あたし、五時十分ごろ、南玄関で待っているわ」

「はい……。それで、何か目印を……」

「君、正直ねえ」

藤瀬は、派手に笑った。「あたしを忘れていると告白しているわけでしょう。大丈夫。あたしの方は知っているから……。じゃあ、五時十分よ」

藤瀬は、言うだけ言うと電話を切った。

「……」

恭一は、手を伸ばして送受器を戻した。大きな息が自然に洩れた。

「どうした？　こちこちになっていたぜ」

と、宮川が聞く。

「あのう、企画一課の藤瀬さんて、どういう方ですか？」

「藤瀬さんて、藤瀬比呂江のこと？」

宮川の顔には、明らかに驚きの表情が見えた。目を開いたまま、恭一を凝視している。

「さあ……、名前までは……」

「ふうん……。藤瀬比呂江というのは、おれたち同期のものの中で、トップで入社した人なんだ。しかも、美人で……」

「そうなんですか？」

恭一は、首をひねった。そんな人が、なぜ電話をよこしたのか。

彼女が電話で言った『エレベーターで君と二人だけになった』という言葉が、あるいは、その謎を解く鍵になるのかもしれなかったが、それだけでは推理の材料が不足している。

たしかに、エレベーターについては記憶があった。

前日の午前十時半ごろだった。会社の集団検診の日に風邪で休んでいた恭一は、この日診療所から呼び出され、ひとりだけの検診を受けた。それが終わって会社に帰り、エレベーターに乗ったところ、ほかには私服の女子社員がひとりいるだけだった。

恭一は、彼女と目が合った瞬間、軽く頭を下げた覚えがある。あとはずっと、ドアの方に顔を向け続けていたはずだが……。

いくら考えても、彼女が会いたいと言った理由に心当たりはない。

恭一も、週刊誌などで、ベテランのＯＬが新人の男子社員を誘惑するというような記事は読んでいる。

しかし、宮川によれば、藤瀬比呂江という女性は、入社試験にトップを取った才媛《さいえん》だという。結婚相手探しを主な目的としているような、並のOLとは違っているはずだった。誘惑するために、電話をかけて来たのではあるまい。それに恭一は、自分がひと目惚れされるほどのハンサムでないことも、よく自覚している……。

終業時刻を告げるベルが鳴った。

藤瀬比呂江は、一般的には、たしかに美人と言えるかもしれない。整った顔と全身とのバランスがよく取れている。目がいくぶん細いようだが、それが彼女を知的に見せているとも言えそうだった。

だが、好きになれそうにない、と恭一は思った。どちらかというと、苦手のタイプであった。

あるいは、それは彼女の髪型のせいかもしれない。何という型か、恐らくもっともらしい呼び名があるのだろうが、恭一には『おかっぱ』の変形という感じがする。こどものおかっぱの、前髪部分を少し長くした型。恭一は、この髪型があまり好きではなかった。学生時代に、そんな型の髪をした女性に振り回された経験があったためである。

エレベーターの中では、どうしてこの髪型に気がつかなかったのか。そのことが自分でも不思議だった。

「塔森君、肉は嫌いじゃないでしょう?」

藤瀬比呂江は、南玄関で恭一の姿を認めると、妙に真面目な顔で近寄って来て聞いた。

「ええ、好きですが……」

「よかった。しゃぶしゃぶの席を予約してあるの」

そして、彼女は先に立って歩き出した。会社の者に、一緒のところを見られたくない、とでもいうような早足だった。

会社から百メートルほどのところにあるビルの地下。そこに藤瀬比呂江が連れて行ってくれた料理店があった。

彼女は、顔なじみなのか、入るとすぐに奥まった小部屋に案内された。

恭一と社歴が二年しか違わない彼女が、こんな店を知っている。……恭一には、それが驚きであった。

しかし、恭一をもっと驚かしたのは、肉が半分ぐらいなくなったときに、藤瀬比呂江が口にした言葉であった。

「塔森君、あなた、本当はお姉さんがいたのじゃない?」

その質問をするとき、やや細めの彼女の目は、さらに細くなった。

「え? どうしてですか?」

恭一は、反問した。うっかり答えられない質問であった。

「そうね。あなたにしたら、あたしがこの質問をした意味を知りたいでしょうね。理由はあなたの姓が、塔森だから……」

藤瀬比呂江は、この部屋で向かい合って座ってからは、恭一に対して『あなた』という二人称を使い出した。

「そんな……。答えになっていませんよ」

恭一は、そう言ってグラスのビールを干した。

「そうか……。きのうエレベーターであなたに会ったとき、あたしの目が最初に行ったのは、スーツの胸のネームプレートだったの」

恭一の会社では、新入社員は十カ月の間、ネームプレートを胸につけさせられる。

「それに塔森と書いてあったでしょう？　あたし、本当言うと、足が震えていたのよ。そして、エレベーターから降り、企画一課に帰るとすぐ、社報綴りを開いて新入社員名簿を見たの。塔森恭一という名前が出ていたので、人事課の友だちに電話をして、お父さんの名前を調べてもらった……。お父さんは良次というお名前で、五十五歳。あたし、思わず本当って叫んじゃった」

藤瀬比呂江は、言い終わると何の意味か、横を向いた。

「藤瀬さんは、浪人の経験は？」

ちょっと間を置いて、恭一は聞いた。彼自身の内部では、彼女の言葉と十分に関連があることなのだが、聞かれた方は、唐突な質問と受け取るかもしれない。口にした瞬間に、恭一はそう思った。

「え？　何ですって？」

果たして、比呂江は不思議そうに聞き返した。

「いや、高校・大学とストレートで進んだのかどうか……」

「わかったわ」

藤瀬比呂江は、歯を見せて笑った。「いまの質問は、あたしの年を知るためのものなんでしょう？　いいわ。教えてあげる。あたしは、ことしの四月で二十五歳になったの」

「そうですか……」

恭一は、比呂江のグラスが空になっているのに気づき、それにビールを注いだ。注ぎ終わると、大きな溜息をついた。それでは、やはり勘が当たっていたのか……。

さっきの藤瀬比呂江の言葉『お父さんは良次というお名前で、五十五歳。あたし、思わず本当って叫んじゃった』を聞いた瞬間、恭一の中で一つの仮説が生まれた。いや、仮説というより妄想に近いものであった。確実な根拠は何もなく、ただ漠然と心に浮かんだだけのものなのだから……。

そして、その妄想に動かされて、彼は藤瀬比呂江の年齢を聞きたくなったのだった。

「あたし……」

と、比呂江は恭一の顔を正面から見つめるようにして言った。「いま、あなたが考えていること、わかるつもりよ」

「……」

恭一は黙ってビールを口に運んだ。高校生のころから、何度か頭に描いた瞬間、いまがそれなのだろうか。

「言ってみましょうか。あなたは、いま、血ということを考えている。そうでしょう？」

「そうですね。たしかに、血に関係があることです」

恭一が、そう答えたとたん、比呂江が激しく首を振った。

「いやだわ。まるでトランプをやっているみたいなこと。あたし、はっきり言ってしまう。あなたは、あたしの弟なの……」

「ええ、でも……」

恭一は、当惑していた。彼が想像していた場面と、余りにも違い過ぎる。なぜ、素直に『姉さん』と言えないのか。

「どうしたの？　浮かない顔をして……。いきなり、そんなことを言われても困る。証拠がない、と言いたいの？」

「いいえ、そうじゃないんですが、何かこう実感がなくて……」

「それはそうでしょうね。言い出したあたしにだって、実感なんてないんだもの」

「さっき、証拠というようなことをおっしゃいましたね。もし、何かそういう物があれば……」

「ないわ……」

比呂江は、ゆっくりと首を振った。「だけど、あなたに本当は姉がいることなど、関係者じゃなければ、知らないはずでしょう？　だから、あたしがそれを知っている事実が、そのまま一つの証拠になると言えるのじゃないかしら……」

「藤瀬さんは、そのことをどうして知ったのですか？」

と、恭一は聞いた。さすがに『お姉さん』とは言えなかった。

「母が死ぬ前に、打ち明けたの。お前は、本当は塔森良次という人の娘だ。生まれたばかりのころ、誘拐して自分の子として育てたんだって……」

「それ、いつごろです？」

「おとといの暮れ。ショックだったわ。それまで、そんなこと想像もしていなかったんだもの……。戸籍上も、父母の実子になっていたし……」

「お母さんは亡くなられたと言われたけれど、お父さんは？」

と、恭一は聞いた。

「もっと前に死んでいるの。あたしが中学二年のころ……」

比呂江は目を閉じて言った。

＊　　　＊　　　＊

お前には、本当は二歳上の姉がいる。だが、その姉は生まれたばかりのころ、何者かに誘拐されて、現在まで何の消息もない。

二年前に自殺をした母の秀子から、こう打ち明けられたのは、恭一が高校に入ったばかりのころであった。

その日、恭一は薄暗がりの中でレコードを聞いていた。

ちょっと話がある、と言って部屋にやって来た秀子は、恭一が電燈をつけようとするのを止めて、このことを打ち明けたのだった。

『これまでは、お前がショックを受けるといけないと思って、ずっと隠して来たのだけれど、いつまでも隠しておくわけにもいかないし……』

『目の前が真っ暗になる』という言葉があるが、このときの恭一の体験は、その逆であった。暗い部屋の中で、母の顔のあたりだけが、妙な白っぽさで明るくなったというような感じだった。そして、その白っぽい空間は、やがてゆっくりと脹らみ、同時に色も薄い青に変わっていった。

物理学的には、光がそのような変化をするはずはないから、これはもちろん、恭一の心理状態が招いた現象だろう。一種の錯覚かもしれないが、母の顔の白さだけは、いまでもはっきりと記憶に残っている。

だが、秀子は誘拐事件の詳しい状況については、説明してくれなかった。

『あたしが悪かったの。ちょっとの間だからと思って、ドアに鍵もかけずにお隣りに行っている留守に……』

そう泣声で言う母に対して、恭一はそれ以上の質問ができなかった。

『じゃあ、その姉さんがどこかで生きている可能性もあるんだね？』

こう聞いたのは、最初に打ち明けられたときではなく、もう少しあとになってからかもしれない。そのあたりのことは、恭一の記憶がはっきりしていない。

『そうならいいんだけれど……。悦子が学校に行く年齢になったとき、教育委員会から通知が来てね。それで出かけて行って事情を説明したら、家庭裁判所に申し立ててどうとかする方法もあると教えてくれたんだけれど、どうしても、そういう手続きをする気になれなくて……』

『手続きって、つまり死んだことにするというわけ？』

『よくわからないけれど、そういうことかもしれないわね』

『ひどいな。死んだという証拠もないのでしょう？』

『そうなの……。そういうものが何もないから、お葬式もあげられなくて……』

この話になると、最後には必ず秀子は泣き出してしまう。

そして、父の良次も、この件に関しての説明をしてくれなかった。良次の話によると、事件は、彼がアフリカに長期出張しているときに起こったのだそうだ。

『しかし、誘拐の知らせは行ったのでしょう？　帰って来なかったのですか？』

良次が、仕事第一の人間であることは、恭一もよく知っていた。だから、そういう事態になっても帰国しなかった可能性は十分にあった。

『いや、帰ろうにも帰れなかったんだ。交通事故で入院していて……』

『すると、誘拐されたあとも、お袋さんがひとりで、いろいろなことをしなければならなかったわけ？』

『いろいろなこと？』

『例えば、警察に届けるとか……。警察には届けたんでしょう？』

『むろんだよ。警察も、ずいぶん熱心に動いてくれた。ただ、悦子の生命に関係するから、極秘捜査だったんだが……』

その事件では、犯人からの電話が、事件発生の一時間後に、一度だけあった。それは、『警察に知らせさえしなければ、こどもの安全は保証する』という内容のもので、身代金などについては、言及されなかった。そのため、『こどものできない夫婦の、こども欲しさの犯行』という見方が、最初から捜査陣の中にはあったという。

『もし、そうなら……』

と、恭一は言った。『ぼくにとって姉さんにあたる人が、どこかで生きているかもしれないんだね？』

『うん、そうならいいと思っているんだ』

『でも、その場合、育てている人は、姉さんに誘拐のことは教えていないだろうね』

『うん……』

良次は、重苦しい顔でうなずいた。『教えるはずはない。それだけは断言できる』

『しかし、そういうのってひどいなあ。自分の本当の親が生きているのに、そのことを知らないで過ごすなんて……』

『それについては、ただ、ひとつだけ期待していることがあるんだ。例えば、悦子の育ての親、つまり犯人が病気で死ぬというようなとき、死に際に悦子に本当のことを言う。それはあり得ないことではないだろう？　その結果、悦子が会いに来てくれる……』

恭一が、良次とこうしたやりとりをしたのは、大学の入試に合格した直後だった。それ以前にも、一度質問したのだが、『いまはそんなことを心配せずに勉強しろ』とたしなめられてしまったのだ。

『とにかく……』

と、父の良次は言った。『母さんがかわいそうだから、このことは、あまり話題にしない方がいい。母さんの精神状態がおかしくなっても困るし……』

『でも、ぼくが最初にその話を聞いたのは、お袋からだったんだよ』

『それは、母さんの気分がよかったときなんだろう。しかし、彼女の気分というのは、急にころっと変わったりするし……』

そう言えば……と恭一は思った。最初に打ち明けてくれたときも、母は途中で泣き出してしまった……。

*　　　*　　　*

藤瀬比呂江は、中学時代に父を亡くした。そのあと、母が実兄の家に身を寄せ、ガソリンスタンドに勤めて、彼女を育ててくれた。

母の実兄、つまり伯父は警視庁の刑事だった人で当時は独身だった。一度結婚したのだが、相手の女性は、彼が家を顧みずに仕事に追われているのに嫌気がさして、離婚してしまったのだという。もし、離婚していなかったら、伯父にしても妹親子を引き取る気にはなれなかっただろう。

この伯父は、比呂江を自分の娘のようにかわいがってくれた。もう警視庁は退職し、知人の会社の顧問のようなことをやっていたのだが、刑事時代が懐かしいらしく、晩酌のあと、比呂江を聞き役に、よく手柄話をしてくれた。

比呂江も、伯父の話を聞くのが好きで、高校三年のころは、ノートを取りながら聞いたりもした。一時、彼女は推理作家を志したこともあり、そのための資料にしようと考えたのである。

この伯父が死んだのは、比呂江が大学二年のときであった。死因は肝臓癌だった。

死ぬ少し前、彼は比呂江に言った。

『わたしの本箱に入っている事件関係のノートは、棺桶なんかに入れずに、みんな比呂ちゃんが引き取ってくれ。そして、その中のひとつでも比呂ちゃんが小説の材料にしてくれたら、こんな嬉しいことはない』

伯父は、比呂江がまだ推理作家になる希望を持ち続けていると思ったらしい。

伯父の残したノートの中に『乳児誘拐事件（未解決）』というのがあった。

生後十日の女の子が、公団アパートの一室から誘拐されたという事件である。誘拐されたのは、塔森悦子で母親の名前は秀子となっている。商社勤務の父親良次がアフリカに長期出張中の事件だった。

この事件に、比呂江がとくに興味を抱いたのは、誘拐された女の子が、自分と同じ年に生まれているためかもしれなかった。

もし生きていたら、比呂江と同じように大学に通っているかもしれないと、周囲にいる友人たちの顔をひとりひとり眺めたこともあった。

比呂江は、ふと、この一家のその後を調べてみようという気になった。純粋に好奇心から出たことである。小説を書く気はなくなっていたが、同年配の女性に比べると『事件物』は好きであった。

伯父のノートには、父親塔森良次の勤務先も明記してあった。幸い、その会社に就職した先輩がいたので、社員名簿を借りて住所や電話番号を知ることができた。

良次は、会社では順調に昇進しているらしく、名簿では部長の肩書がついていた。住所も公団アパートではなく、首都圏の新興住宅地に一戸建ての家を構えている。

比呂江は、大学三年になってからのある日曜日、ボーイフレンドをおだてて、塔森家の近くまでドライブに行った。想像していたより大きな家であった。そして、そのときに比呂江は、犬を散歩に連れ出す恭一を見かけているのである。もちろん、名前はわからなかったが、塔森家の人間らしいことは、その青年の様子からも推定できた。

伯父の残したノートには、事件の二年後に塔森家に男の子が生まれたことも書かれてあった。すると、あれが誘拐された子の弟ということになる……。彼は、そういう姉がいることを知っているかどうか……。比呂江は、そんな思いで彼を眺めた。

ふと、自分がその『誘拐された娘』を装ったら……、という空想をしたのは、その日曜日、自宅に帰ってからであった。

そのような空想を楽しむ癖は、昔から彼女にあった。それに、伯父が死んでから、それまでに比べて生活が苦しくなっていた……。

いい服も着たいし、たまには海外旅行もしたいなどと考える年齢であり、『あの家の娘になれば……』と夢想したとしても、不思議ではあるまい……。

だが、それはあくまでも夢想であった。

仮に……と比呂江は考えたのだ。仮に、自分が誘拐されたこどもだと名乗りでたとしよう。塔森家では、当然、彼女の母親に事情を聞くだろう。その段階で、比呂江の嘘はばれてしまう。

ところが、その母親は、比呂江がいまの会社に就職した年の秋に、脳内出血で死んでしまった。もともと血圧が高い体質であった。

さらに、ことしの春になって、比呂江が驚くことが起こった。塔森恭一が、彼女と同じ会社に入って来たのだ。

比呂江は、再び、塔森家について調べる気になった……。

＊　　＊　　＊

玄関のドアが開いた。私鉄の駅まで、車でガールフレンドを送りに行った恭一が、帰って来たのだろう。

塔森良次は、煙草に火をつけた。どんな顔を恭一に見せればいいのか……。

この日曜、『会ってもらいたい人がいる』と恭一に言われ、良次は予定を変えて自宅にいることにした。結婚相手を連れて来るのなら、会ってやらないわけにはいかない。

その『会ってもらいたい人』というのは、良次の予想通り女性であった。同じ会社の二年先輩だという。年上だという点が、ちょっと気になったが、いまの若い者は、そんなことには、まったく構わないらしい。実質的には一人っ子として育った恭一は、甘えん坊のところがあるから、妻に迎えるのには、年上の女の方がむしろいいのかもしれない……。

「無事送って来ました」

リビングルームに戻った恭一は、てれくささをごまかすためか、固い報告調で言ってソファーに腰を下ろした。

「うん、きれいな人じゃないか。頭もよさそうだし……」

「頭はいいんでしょうね。彼女の前では言わなかったが、トップで入社したのだそうだから……」

　恭一の話し方は、まだぎこちなかった。てれが持続しているのか。

「トップ入社か……。じゃあ、結婚しても勤めを続けたいと言うだろうな」

「そうかもしれないね」

　恭一は、ひとごとのように言った。「聞いていないけれど……」

「聞いていない？　どうしてだ？　一番大事なことじゃないか」

　良次は、驚いて聞き返した。

「大事なこと？　ああ、それおやじさんの勘違いだ」

　恭一は、笑い出した。「彼女を連れて来たのは、そんな意味じゃないよ。実は、彼女が姉さんらしいんだ」

「姉さん？　どういうことだ？」

　良次は聞き返した。しらばっくれたのではなく、本当に意味がわからなかったのだ。

「どういう意味って……。つまり、むかし誘拐された姉さんが彼女で……」

「うん？　そんなこと、だれが言っているんだ？」

「彼女だよ。彼女の母親が、おととし死んだんだけれど、死ぬ間際に、実は……と告白した。彼女は塔森良次という名前も、その母親から聞いていたんだって……」

「ばかな……」

　と、叫ぶように言って、良次は、煙草の火を灰皿にこすりつけた。「そんな妙な話があるわけない」

「どこが、妙な話なんだよ」

恭一が食ってかかった。「こどものころに誘拐された姉さんがぼくにいるなんてこと、知っている人はいないはずだろう？　それを彼女の方から言い出したんだよ。この事実をどう説明するんだい？」

恭一は、興奮しているらしく、口調が荒っぽかった。

「しかしだね……」

良次は、そう言いかけたが、適当な言葉がみつからない。たしかに、悦子の誘拐事件について知っている人間は、ごく限られているのだ。当時、一度だけ新聞記事にもなったが、それには『会社員Tさん』という表現が使われていた……。

「おやじさん」

恭一の声が、急に穏やかになった。「それとも、おやじさんは誘拐事件について、ぼくに隠していることがあるの？」

「そんなもの、ありはしないさ」

内心に不安を感じながら、良次は言い切った。ふと、疑問が頭を過《よ》ぎる。これは、恭一がしかけたわなではないか……。

ことによると、最近の父親について、恭一は何かを感じ取ったのかもしれない。そして、それを確かめるために、藤瀬比呂江という女性と相談して、先刻の話を持ち込んで来た……。そんな可能性も、まったくないとは言えないだろう。

とすると、うっかりしたことは口にできない……。

「じゃあ、変だよ」

恭一は、真正面から良次の顔を見た。「さっき、おやじさんは『妙な話』という言い方をしたね。あれは何か根拠があってのことなの？」

「いや、根拠はないよ。しかしだね」

良次は煙草の袋を手に取った。だが、ちょっと前に火を消したばかりだと気がつき、それを元に戻した。

「とにかく、きょうのおやじさん、少しおかしいよ。ぼくは、もっと冷静に話を聞いてくれると思った」

「うん……。しかし、いきなりあんな話を聞かされたら、だれだって驚くよ。冷静になれと言っても無理だ。もうちょっと考えさせてくれ」

「うん、まあいいや。考えればどうにかなるという問題ではないと思うけれど……」

恭一の口のあたりには、皮肉っぽい薄笑いが浮かんでいた。

三日後の夕方、塔森良次は藤瀬比呂江を会社の地下にあるサロンに招いた。そこは、ちょっとした商談などに使われる場所で、アルコール類も置かれている。

とにかく、もう一度比呂江に会ったほうがいい、と良次に勧めたのは、大中昌子であった。

そもそも、恭一が比呂江を連れて来た日には、大中昌子と一緒に観劇する予定が、良次にはあったのだ。

ところが恭一が『会ってもらいたい人がいる』と言ったため、急遽予定を変更したのだった。

そのことを連絡した電話に対して、大中昌子は言った。

『あら、恭一君がそんなことを？　それじゃあ、その人に会ってあげなければ……。うん、あたしの方は、お構いなく……。その代わりと言っては変だけれど、どんなお嬢さんだか、教えて下さいね』

その約束に従い、良次は当日の夜、彼女に電話をかけた。

『あ、電話を待っていたのよ。どんなお嬢さんだった？』

大中昌子は、はしゃいだ声を上げた。

『それが、どうも違うんです。藤瀬比呂江という恭一より二つ年上の女性なんだが……』

『二つ年上？　じゃあ、喜恵とおない年なのね？』

大中昌子は、彼女の娘の名を上げた。

『そう。ところが、彼女は変なことを言い出してね。つまり、自分が悦子だと……』

『え？　よくわからないわ。悦子というのが本当の名前なの？』

『いや、誘拐されたわたしの娘は自分だと言うんですよ』

『そんな……』

と、大中昌子も驚きの声を上げた。『それどういうことなの？』

『いや、わたしにも彼女の真意はわからないんだ。しかも、恭一がそれを信じているようだから、始末が悪い』

『恭一君が？　彼女は、何かそれらしい証拠でも持っているの？』

大中昌子も興奮しているらしく、声がいつもより甲高くなっている。

『証拠と言えるものは何もない。しかし、普通の人は誘拐事件のことを知らないはずなのだから、それを知っていることが、そのまま証拠になる……。恭一は、そんな理屈を言っていた。彼女の母親が、死ぬときに……』

良次は、恭一から聞いた事情を説明した。

『その子いんちきよ。天一坊だわ』

聞き終わったとき、大中昌子は、断定的に言った。

『うん、いんちきだとは思いますよ。だが、彼女の狙いがわからない。会社にトップで入社したほどの女が、なぜ、そんなことを言い出したのか……』

『恭一君と結婚したくてではない？』

『そんなのおかしいですよ』

と、良次は笑った。『姉ということになったら、恭一と結婚できるわけない』

『ああ、そうか……』

こうして、とにかく、もう一度良次が藤瀬比呂江に会った方がいい、というのが、その夜の結論になったのだった。

会社のサロンに現れた藤瀬比呂江は、ブルーのワンピース姿であった。それは、からだの線を際立たせるようにデザインされており、ベージュのスーツだった日曜に比べ、不思議なくらい派手に見える。サロンにいるほかの社員たちが妙に思わないか、と良次は気になった。

「先日は、せっかくのお休みの日に伺って失礼しました」

隅のテーブルに向かい合って座ると、比呂江はそう挨拶をした。大中昌子は『天一坊』と言ったが、天一坊にしては品があった。

「いや……。あなたが帰ってから、恭一に聞いて驚いたんですよ。恭一が言ったことは本当なんですか？」

「あたしも驚きましたわ。恭一さんから、おじさまが、その話を頭っから信じなかったらしいと聞いて……」

日曜にも、比呂江は『おじさま』と言ったのだろうか。この日の良次には、それが耳障りだった。

「じゃあ、あなたは、わたしが信じると思っていたの？」

「ええ……。少なくとも、耳を傾けるくらいのことはして下さると考えていました。それが自然だと思いますし……」

「自然ねえ……」

と、良次はつぶやいた。「まあ、とにかく何か飲まない？　ここには、アルコールもあるし……」

「そうですね。じゃあ、ウィスキーの水割りを頂きます」

比呂江は、期するところがあるという風に言った。

学生アルバイトのウェイターが、塔森のボトル、ミネラル・ウォーター、氷それにグラスを運んで来た。

良次は、二人分の水割りを作りながら聞いた。

「血液型は？」

「Oです。おじさまもOだし、亡くなった奥さまもOでしたね。だから……」

「ほう。わたしや家内の血液型をよく知っているね」

良次は、水割りのグラスを比呂江に手渡した。

「探偵社に頼んで調べてもらいました。母が死ぬ間際に言ったことが本当かどうか、あたしも、最初は迷ったんです」

「探偵社？　それじゃあ、だいぶ金もかかったでしょう」

良次は、比呂江の狙いがますますわからなくなった。彼女は、自分が幼いころに誘拐されたという話を、本当に信じているのか。

「ええ、まあ……」

比呂江は意味ありげに笑った。

「とにかく、乾杯だ」

良次はグラスを捧げた。

「はい。でも何に乾杯するのですか？　あたしは、親子の縁にと言いたいのですが……」

「それはちょっと……」

良次は首を振った。「君とわたしとは、どうも見解が違うらしい」

「そうですか？　ずいぶん自信たっぷりですね」

どんなつもりか、比呂江は細い目をさらに細くした。

「自信というわけではないが……」

「聞きたいわ。おじさまが、どうして、そんなに自信を持っているのか……。誘拐されたお子さんの特徴とあたしが合致しないのですか？　そうじゃなければ、おじさまが、すでに情報を持っているのか……」

「情報？　つまり、悦子についての情報という意味だね？」

「ええ……。どうなんでしょう？　心当たりがあるのじゃありません？」

「妙なことを言うね。心当たりがあれば、恭一にも話しているよ」

良次は、意識的に口調を鋭くした。「それより、今の君の言葉は重大だよ。君が本当にわたしの子なら、ほかの心当たりのことを口にするはずはない。そうだろう？」

「その心当たりというのは、大中喜恵さんのことですか？」

藤瀬比呂江は、良次の反撃を無視するように聞き返した。

「………」

良次は、グラスを落としそうになった。この女が、どうして大中喜恵のことを知っているのか……。

「ずいぶん、驚いたみたいですね」

比呂江は、グラスを目の高さに上げ、それを通して良次の顔を見つめている。

「そうか……。わかったよ。君は喜恵の友だちなんだろう」

「いいえ……」

と、比呂江は首を振った。「でも、彼女のことは、一応知っていますよ。お母さんは大中昌子と言って、現在四十八歳。そして、自殺なさった奥さまの親友だった……」

「………」

良次は、半分ほど残っていたグラスの水割りを一気に飲み干した。そして、新たに水割りを作る……。動揺を押さえるため、何かしないではいられなかった。

「お強いんですね」

と、からかうように比呂江が言った。「恭一さんは、あまりお酒を飲まないそうだけれど……」

「はっきり言ってくれないかな」

と、良次は自棄的な気分で言った。「君の目的は、何なんだ？」

「目的もなんて、別に……」

「目的もなしに、探偵社に調査を頼んだりするかね。大中喜恵についての知識も、たぶん探偵社が調べたことなんだろう？」

「おじさま」

藤瀬比呂江は、ますます落ち着いて来た。彼女の年齢を考えると、その落ち着きは不思議でさえあった。「大中喜恵さんのことが、そんなに気になりますか？」

＊　　＊　　＊

二年前のある夜、良次は大中昌子と新宿で遇った。大学のクラス会が終わり、もう少し飲むか、それとも電車のあるうちに帰ろうかと迷っているとき、

『あらあ、塔森さんじゃない？　塔森良次さん』

という派手な声がして、振り返ると大中昌子が立っていた。彼女は、良次の妻秀子の高校・短大を通じての友人だった。

良次たちの結婚とほとんど同時期にN県の地主の息子と結婚し、秀子ともしばらくは

疎遠になっていたらしいが、夫の死後、ひとり娘が東京の高校に入ったのをきっかけに、上京して、受験予備校の事務員になった。以後は、始終行き来をしている。あるいは、秀子にとっては一番の親友かもしれなかった。

『やあ……』

と、良次も両手を上げた。酔いが、動作を大袈裟にしていた。

すると、そこに昌子が飛び込んで来た。二人は、抱き合う形になり、外国人の再会の挨拶のように、互いの背中を叩き合った。

『良次さん、もう帰るの？』

抱擁を解いてすぐに、昌子が聞いた。

『いや、クラス会の帰りでね。さて、どうしようかと、考えていたところ』

『そう、じゃあ、あたしに付き合ってよ。勤め先の若い連中と飲んでいたのだけれど、いつの間にか、まかれちゃったの』

『そうですか……。じゃあ、付き合います』

『本当？　ああ嬉しい。儲けちゃった。二重の儲け……』

アルコールがだいぶ入っているらしく、昌子は腕を絡めて来た。

『二重の儲け？　それどういうこと？』

『ひとつは、これからの飲み代。大企業の部長さんなんだから、当然おごってくれるんでしょう？』

『それはもちろん』

と、良次は笑った。『それで二つ目は？』

『どさくさまぎれに、良次さんに抱き付いたこと。男に抱き付いたのなんて、何年かぶりだわ』

『しかし、せっかく抱き付くのなら、もっと若い男の方がよかったんじゃない？』

『ううん……』

昌子は、絡めている腕に力をこめた。『良次さんが最高。長年憧れていたんだもの。良次さんこそ、あたしが若くなくてお気の毒みたい』

『どういたしまして、さっきの感じでは、胸などは、女盛りという感じだった』

こんな冗談めかしたやりとりが、伏線になったのだろう、ホテルのバーでちょっとウィスキーを飲んだあと、二人はそのまま、そのホテルに泊まってしまった。

アルコールが入っていたことに加えて、秀子が近所の奥さんに誘われてシンガポールに旅行中だったという事情も、良次の心理に弾みをつけたと言えよう。

そして、良次はその後も、誘われるままに昌子と会い続けた……。

＊　　＊　　＊

「あたしの死んだ伯父は……」

と、藤瀬比呂江はグラスを片手に話し出した。目が遠いところを見ている。「むかし警視庁の刑事だったんです。伯父が死んだあと、遺《のこ》したノートを読んだんですが、悦子さんが誘拐された事件が、迷宮入りになったことをとても残念がっていて……。伯父は、あの事件について、どうもおかしいところがある、知り合いの犯行じゃないか、という見方をしていて、もう少し家族を洗いたいと言ったのだけれど、上の人がその意見を採用してくれなかった。それが残念だ、とノートに書いていました」

「……」

良次は、黙って聞いていた。彼女の話がどんな具合に発展するか、予測がつかない。

「事件から、もう二十五年、知り合いの犯行だとしても、犯人はもう安心しているだろう。伯父の言うように家族を洗ってみたらと考えて、探偵社に調査を依頼したんです。すると、おじさまと大中昌子さんの関係が浮かんで来て……。しかも、彼女には喜恵さんというあたしとおない年の娘さんがいる。あれっと思ったわ。喜恵さんが、実は悦子さんではないか……」

「ほう……。ずいぶん飛躍した話ですね」

と、良次は言った。「おない年の娘さんなんて、どこにでもいる」

「ええ、でもあたしには匂ったの。ことに、大中昌子さんのご主人が、喜恵さんの誕生の前になくなっていること。そこがねえ……」

比呂江は、グラスをテーブルの上に置き、腕組みをした。

「おじさま」

腕組みを解いて、比呂江が聞いた。「奥様の自殺した理由をどうお考えです？」

「ずいぶん、立ち入ったことを聞くね。「探偵社は、それについても報告しているのじゃない？」

「ええ、……。奥様は悦子さんのことを、いまでもときどき思い出し、そのたびにノイローゼになる。それが高じたのではないか……。そういう報告でした」

「それなら、質問することはないでしょう？　警察も同じ見解だった」

「でも、警察がそういう見方をしたのは、おじさまが、ノイローゼのことを強調したからではないですか？　あたし、奥様がノイローゼになるはずはないと思うんです」

「そう思うのは、君の勝手だが……」

「だって、奥様は、悦子さんが喜恵さんとして生きていることを知っているのだから、悦子さんのことを心配する必要はないんです。ノイローゼになんかなりっこないわ」

良次は、なかば感心していた。藤瀬比呂江という女は、考えていた以上に頭がいいらしい……。それにしても彼女の狙いは、どこにあるのか。

「しかし、わたしに言わせれば、大中喜恵さんが悦子だという前提が、そもそもおかしいのだから、君の推理は成り立たないことになる」

「そうでしょうか。大中昌子さんのご主人、肝臓癌が死因だったそうですね。一年前から入退院を繰り返していて……。昌子さんは、むろんご主人が治らないことを知っていた。一方、ご主人の実家は、N県の大地主だった。だけど、ご主人が先に死んだら、昌子さんには何も残りません。そこで……彼女は、大芝居を打つことにしたんだと思います。親友と共謀して、生まれたばかりのこどもを誘拐する。そして、その子をN県に連れて帰り、死んだ夫の子だと言う。もちろん、それ以前から妊婦の振りはしていたのでしょうが……。さて、生まれた子が孫ということになれば、ちゃんと相続権があるわけですから、財産をわけてもらえる。そういう仕組み……」

「君だって女なのだろう? 君の話では、わたしの家内は、自分のこどもを友だちにやってしまったことになる。そんなこと、母親にできると思うかね」

「ケース・バイ・ケースだと思います」

と、比呂江は言い切った。「例えば、産むのがこわい場合。伯父のノートによると、誘拐された悦子さんの血液型はB型でした。つまり、奥さんは浮気をしていたことになります。生まれるまでは、夫の子か愛人の子かわからない。もし、夫の子でなくて、それが将来わかってしまったら、という恐怖から、生まれた子は昌子さんにあげてしまっても構わない、むしろ、その方が都合がいい、奥さんはそう考えて、この計画を昌子さんに持ち掛けた……。そういう推理はどうでしょうか。因みに喜恵さんの血液型はBだそうです」

「結局、君は何を言いたいんだ。推理を聞いてもらいたいだけなのか……」

「あたし、大学のころ面倒をみてくれていた伯父に死なれました。大学をやめようかとも思ったんですが、ある宗教団体が、奨学金を出してくれて……。でもそのため、就職してからも、その団体がいろいろ指図をして来るんです。お金を返せば、そこを脱退できるのですが……」

「奨学金の額は？」

と、良次は聞いた。

「利子と合わせて三百万です」

「なるほど……。面白い話を聞かせてくれたお礼に、わたしが出してやってもいいが」

「ありがとうございます」

と、比呂江は頭を下げた。「でも、続きがあるんですよ」

「続き？」

「ええ、奥様の自殺の理由です。あたしの想像では、おじさまとのピロートークの中で大中昌子さんは、誘拐事件の真相をしゃべってしまったのではないかと思うんです。おじさまは、そのことで奥さまを責め……。そうでなかったら、おじさまが、ビルの屋上から突き落としたのか……」

「なるほどねえ……」

良次は、ゆっくりと首を振った。「三百万を出せばいまの話を忘れてくれるのかね？」

「ええ、あたし、忘れっぽいんです。それから、恭一さんには、あれはあたしの作り話だったと言っておきます」

藤瀬比呂江は、また、目を細くした。

名前の旅

新幹線で約一時間、在来線に乗り換えて二十分。接続がうまくいったせいか、予想より早く着くことができた。

改札口を出たところが、ロータリーになっている。バス乗り場には、十人ぐらいの列ができていたが、タクシー乗り場の方は人影がなく、空車表示をしたタクシーが、三台客待ちをしていた。

「ねえ、タクシーなの？」

私は、姉の牧子に問いかけた。しかし、右にも左にも、姉の姿はなかった。

あわてて振り返ると、姉は改札口で駅員に頭を下げている。

何があったのか。切符をなくしでもしたのか。私は姉の方に足を向けた。

そのとき、左手を冷たい感触が襲った。空を見ると、黒い重苦しい雲が一面に拡がっていた。東京では、青い空も見えたのだが。

先にホテルに行くのか、それとも『問題の店』に顔を出すのか。すべての行動は、姉に任せてあるが、いずれにせよ、急いだ方がいいだろう。

「ご免なさい。道を聞いてたの」

姉は、そばに来ると、肩をすくめて言った。

「道？　ホテルまでの？」

「ううん、例のラーメン屋さん。だめでもともとだと思って聞いたら、ちゃんと知っていたの。歩いて行けるところみたい」

姉は、そう言うと、先に立って歩き始めた。それを追いながら、相変わらず歩き方はきれいだ、と思った。背筋をぴんと伸ばし、過不足ないタイミングで、脚が前に出る。

中学生のころ、すでに大学を卒業して勤めに出ていた姉の歩き方を見て、『颯爽《さっそう》』というのは姉のための言葉だ、と誇らしく思ったものだが、それから二十年近く経ったいまでも、彼女はきれいな歩き方をする。

いや、美しいのは歩き方ばかりではなかった。顔の皮膚は、十違いの私が羨ましく感じるほどにつややかだったし、からだの線にも崩れはみられない。ことしで四十歳になった女だとは、誰の目にも見えないだろう……。

横断歩道を渡るとき、サラリーマン風の中年の男とすれ違った。彼の目が、一瞬、姉に向けられたのを、私は見逃さなかった。

姉と一緒に歩くと、必ずこうした視線にぶつかる。一年ぐらい前までは、誇らしい気持と同時に軽い嫉妬も感じたものだった。

だが、あることを境に、私の心理に変化が起きた。振り返る男たちに向かって、『あなた方は、美人の姉さんばかり気にしているけれど、女としてはあたしの方がしあわせなんですよ』とでも言いたい心理。

しかし……。私は首を振った。そうした優越感も、そう長くは続かなかったことになる……。

横断歩道を渡り終えると、すぐに右に曲がる。ずっと商店街が続いていた。全国の地方都市、あるいは東京のいたるところで見慣れた風景であった。

東京の街と違うのは、人通りが少ない点である。東京でのように、絶えず人の流れに注意しなければならない、ということはなかった。

「ええとねえ」

姉が思い出したように言った。「左手に大きな文房具屋さんがあるんですって。そこを左に曲がるらしいの」

「文房具屋さん？　わかったわ」

と、私は言った。「でも、そこが本当にその店なのかしら。同じ名前のお店が、ほかにもあったりして……」

「大丈夫よ。駅員さんに、激辛ラーメンの番付が貼ってあるところと言ったら、ああそれならと、教えてくれたんだもの。それに、万一違う店だったとしても、同じ名前のお店のことなら、ちゃんと知っていて、教えてくれると思うの」

「じゃあ、店に入ったらすぐに、壁を見渡すというわけ？」

「それはそうよ。あたしたちの目的は、ラーメンを食べることではないんだもの」

「それはそうだけれど……」

私は考えていた。ラーメン屋ならば、入口はたぶんガラス戸だろう。それを開けたとたんに、

『いらっしゃい』

と、威勢のいい声がかかる。その瞬間に壁を見回し、『番付』とやらが貼られていなかったら、引き返す。そんなことができるだろうか。

「あ、文房具屋さんて、あれじゃない……」

と、姉が弾んだ声を出した。気のせいか、顔にも赤味がさしているようだった。

無理もない……。姉にしてみたら、夫が姿を消してから、最初にぶつかる『てがかり』なのだ……。

胸の一部を襲った軽い痛みに、私は辛うじて耐えた。


そのラーメン屋、つまり『宝麗』に関する情報が、姉にもたらされたのは、私が彼女の家にいるときだった。

いや、正確に言うと、そうではない。私は玄関のドアのノブを試みに回し、施錠されていないのを確かめると、

『泥棒です。キイをかけておかないなんて、不用心ですね』

と言いながら、ドアを開けた。

その私の耳に入ったのは、姉が叫んでいる声であった。ちょうど、電話で話している最中らしかった。彼女は、電話のとき、いつもより甲高い声を出す。

『あ、ご免なさい』

私は小声で謝りながら、廊下を忍び足で歩き、居間に顔を出した。

『あら、いらっしゃい』

ちょうど話が終わったらしく、姉は送受器を戻して、私を見た。

『どうしたの？　何だか、こわい目をしている』

と、私は言った。私に久しぶりに会ったとき、姉はいつも優しい目をする。その優しさが、うかがわれなかったのだ。

『そう？』

姉は、右手で顔を拭うようにした。『彼についての情報がはいったの』

『彼って——、お義兄《にい》さんの？』

私の脈拍は早くなった。顔色も、恐らく変わったであろう。そして、一方では、早く冷静にならなければ——と考えていた。

『そうなの。C市のラーメン屋さんに、名前が出ていたんだって——』

『ラーメン屋さん？』

私は、テーブルの上に、ハンドバッグを投げつけるように置き、椅子に腰かけた。姉の話が、よく理解できなかった。ただ、私が恐れていたようなことではないらしい——。

『ええ……。変な話なんだけれど……』

どんなつもりか、姉は両手で顔を挟むようにしながら、テーブルについた。

『ねえ、最初からちゃんと話してよ。お姉さんの言うこと、断片的でよくわからないわ』

『今の電話、彼の会社の人からだったの。おとといだかに、出張でC市に行ったんですって。仕事が片付いてから、ラーメン屋さんに入った。「宝麗」という名のお店で、激辛ラーメンが売り物なんだとか。もちろん、普通のラーメンもやっていて、彼はそれを頼んだんだそうだけれど――』

――注文したラーメンができるまでの間、彼は何となく店内を見回した。

カウンターが主の店だが、奥のほうに、ひとつだけテーブルがあり、その上方の壁一面に、短冊型の紙が貼りつけられている。

彼は、好奇心を駆り立てられ、壁に近づいて行った。

よく見ると、短冊の一枚一枚に名前が書いてあった。

『ところが、そこに、首頭重保《こうべしげやす》という名前があったんですって……』

と姉は言った。

『それ、字も同じなの？』

首頭重保とは、義兄つまり姉の夫である。

『ええ、間違いなく首頭重保だったって。そうざらにある苗字じゃないし。名前まで同じなのだから、恐らく、課長さん本人だろうって、電話してくれたの』

『ふうん……。それで、その名前の短冊にはどんな意味があるの？』

と、私は聞いた。

『ああ、〝激辛試験合格者〟なんですって。そのお店では、〝激辛〟の上に〝特辛〟、その上に〝超辛〟というラーメンがあって、その辛いラーメンを全部平らげ、汁まで飲み干した人の名前を貼り出すというわけ。彼の名前は、〝超辛〟の部にあったそうなの』

『〝超辛〟というのは、最上級なんでしょう？　そう言えば、お義兄さんは辛い物が好きだったわね』

義兄の辛い物好きは、異常と言うべきであった。味噌汁には、汁の表面が真っ赤になるほど七味唐辛子をかけたし、辛子をたっぷり入れた彼用の納豆は、他の者には辛くて食べられなかった。

『そうなの。だから、彼がそのお店に行ったのは間違いないと思うのだけれど……』

『ふうん、C市にねえ』

私は首をひねった。『どういうことなんだろう？』

『あたしが知っている限り、彼はC市に行ったことなんかないはずなの。だから、その超辛ラーメンに挑戦したのは、蒸発後だと思うのね』

『その……、電話をくれた人、お姉さんが知っている人？』

と、私は聞いた。

『ううん』

姉は首を振った。『山田さんとか名乗ったけれど……』

『じゃあ、本当の話かどうか……』

『どうして？　わざわざ、そんなことで嘘を言って来るはずないじゃないの』

姉は怒ったように言った。すでにC市まで足を運ぶ気になっているようだった。


『宝麗』はすぐにわかった。想像していたより小綺麗な店であった。入口はやはりガラス戸で、そこに『激辛試験実施中』と書かれた紙が貼ってある。

「やっぱり、間違いないわ」

姉の声は、うわずっていた。それでいながら、自分が先に入るのはこわいのか、戸口のところで、私の背中を押すようにした。私は苦笑しながら、店に入った。

とたんに、

「いらっしゃい」

という威勢のいい声が投げかけられた。

「二名様ですか？　カウンターにどうぞ」

「あのう、奥のテーブルではだめなの？」

と、私は聞いた。すでに、正面の壁に、短冊型の紙が貼ってあるのを確かめていた。

そこに書かれた名前を調べるには、近くに行った方がいい。

「え？　ああ、いいですよ。どうぞ」

時間のせいか、客はほかに若い男女が一組いるだけだった。カウンターの中には、白い上っぱりを着た男が二人。二人とも三十代らしいが、よく似た顔をしている。兄弟かもしれない、と私は思った。そのうちの一人が、カウンターから出て、お茶を運んで来てくれた。

「ふだんは、セルフ・サービスなんだけれど、お客さんたち美人だから……」

お茶の入った湯呑みをテーブルに置きながら、そんなお愛想を言う。

「どうもありがとう――。あのう、激辛試験てどういうの？」

と、私は聞いた。店に足を踏み入れて以来、姉は妙に緊張し切っている。私が質問役を引き受けなければ、どうしようもないらしい。

「ああ、超辛、特辛、激辛とありましてね。激辛クラスは、ラーメン自体はたいていのお客さんが食べられます。ただ、汁を全部飲んでもらわないと合格にはならないんですよ」

「合格すると、何かいいことあるの？」

「激辛クラスは、料金が半分、特辛だとただ、超辛の場合は、合格者に千円贈呈、ということになっています。挑戦しますか？」

「ううん、結構」

私は、答えながら、首を振った。「ここに貼り出してあるのが、合格者なんでしょう？　わざわざ貼り出したりするところを見ると、合格するのは、むずかしいみたいですね」

「そうでもないですよ。そこに貼ってあるのは、今季の合格者だから……」

「今季？　それ、いつからなんです？」

そう言いながら、私は目で義兄の名前を探していた。超辛クラスの四人目が『首頭重保』となっている。

「ええと、先月の初めからです。だから、きょうで、約五十日ですか？　今季は今月末で終わりになります」

「そう……。試験期間が終わると、名前ははがしてしまうの？」

「いや、三カ月後に、また始めるまで、ずっと貼って置きます。どうです？　挑戦してみませんか？」

「だめ、自信がないわ。普通のラーメンで結構です。お姉さんは？」

「あたしも、普通のでいいの」

夫の名前を見て胸がいっぱいになったのだろうか、姉は弱々しい声で言った。

ラーメンは、とくにおいしくはなかった。麵自体が悪いのか、それとも熱の加え過ぎか、腰が弱く歯ごたえが頼りない。

味で客を呼べないので、激辛試験なるものを考え出したのかもしれない。

「ねえ」

私は途中で箸を休め、小声で言った。「あの壁の首頭重保さんて、やっぱりお義兄さんではないと思うわ」

「え？　どうして？」

と、姉が目を丸くして聞き返した。

「お義兄さんて、ラーメンにはかなりうるさかったでしょう？　こんな腰の弱い麺を、最後まで食べたなんて信じられないもの」

「そうねえ……。たしかに、歯ごたえがないわね。でも、残したら、試験に不合格になるので我慢したということも……」

「そんなのおかしいわ」

私は、思わず叫びかけ、途中で声の調子を落とした。「試験と言ったって、超辛に合格したって、千円もらえるだけなのよ。あのお義兄さんが、たった千円のために、そんな無理をするはずはないでしょう？」

「それもそうだけれど……」

姉は考え込む目つきをした。「持っているお金がなくなっていたのかも……」

「お義兄さん、蒸発するとき、どのくらい持っていたの？」

「それがわからないの。お給料のうち、決まった額を家計費として私に渡し、あとは財テクみたいなことをやっていたし……」

「へえ……。お姉さんのところって、いまどき珍しいシステムだったのね。いまは普通のサラリーマン家庭は、たいてい奥さんが、家計の主導権を握っているのに……」

「……」

姉は、ちらっと私を見ただけで、何も言わなかった。

姉と義兄とは、ちょうど一回りの年齢差があった。姉が結婚したのは二十五歳だったから、そのとき義兄は三十七歳。義兄にとって、新妻は若過ぎて、家計を任せる気になれなかったのだろうか。そして、そのころの習慣が、そのまま続いてきた……。

もっとも、姉夫婦にはこどももいなかったし、世田谷には義兄が親から受けついだ土地付きの家があるから、住宅ローンに頭を悩ます必要もない。そんな言わば特殊事情があったからこそ、義兄が小遣いで財テクなどもできたのであろう――。

「あのう」

ふと思いついたことがあって、私はカウンターの方に声をかけた。「ちょっと、お聞きしたいことがあるんですが……」

「え？　何ですか？」

「この壁に、合格者の名前が貼ってありますね。この日付けはわかりませんか？」

「日付け？」

さっきとは別の男が、カウンターの中で移動して来た。

「ええ、この人たちが、何月何日に合格したのか、その日付けです。それから、詳しい住所とか……」

壁の短冊には、『東京・首頭重保』というように、簡単な住所と名前しか書いてなかった。『平山町・山岡陽二』のように、町名が書かれてあるのは、たぶんC市の住人なのだろう……。

「わかりますよ。こっちのノートに書いてあるから……」

彼は、カウンターの下から、大学ノートを取り出して見せた。

「それでは、超辛クラスの四番目、首頭重保という人のこと、教えてもらえません？」

「こうべ？　ああ、その難しい読み方の人ね。住所は東京都世田谷区世田谷二の×の×。日付けは十月九日――」

それを聞いて、私は姉と顔を見合わせた。『世田谷区世田谷……』と、いま男が読み上げたのは、まさしく姉の住所であった。

従って、この『宝麗』に来て『超辛級』に合格した『首頭重保』は、義兄本人ということになる。

しかし……。私は眉をひそめた。どうも納得できない。

また、日付けが十月九日である点は……。

――姉が夫の捜索願いを出したのは、九月三十日であった。九月二十六日の夜から自宅に帰らず、会社にも出勤していないことがわかったので、捜索願いの提出に踏み切ったのだった。

しかし、警察は事態を余り重視していないらしい、と姉が話してくれた。

このところ、五十歳前後のサラリーマンの家出が増えている——『まあ、そのくらいになると、サラリーマンとしての将来が見えてくるというか——。いろいろ考えるのでしょうね。しかし、たいていは一、二カ月もすれば帰って来ますよ。ご主人も、恐らく、電話をかけてよこすでしょう。そのときは、怒鳴ったりしないで、優しい声で、帰るように言って下さい』と、係官は姉に諭した——。

義兄の『蒸発』は、九月二十六日。そして、その彼が十月九日、この『宝麗』に姿を現している。そこのところが、私にはひっかかるのだ。

「あのう……」

と、姉が言った。「その方のこと、覚えていらっしゃいますか?」

「その方って、この首頭さんという人?」

「ええ、それ、あたしの主人なんです。九月の末に家出をしてしまい、あたしたち、あっちこっち探していたんですが……」

「ははあ、ご主人? しかし、それは……」

男は当惑したように、眉をひそめた。

そのとき、入口近くにいたアベックの客が席を立った。帰りしなに、女の方が、

「じゃあ、マスター、例のことお願いね」

と、声をかけると、私たちと話していた男が、

「ああ、やっておきます」

と、答えた。

「ねえ、マスター」

私は、いまの女客にならって、こう呼びかけた。「そのノート、見せていただけないかしら？」

「ノートですか？　いいですよ」

マスターは、カウンターから出て来て、大学ノートを渡してくれた。『超辛の部』と書かれたページが開かれている。

「あのう、ここに書かれている名前や住所、それぞれに筆跡が違いますね。試験に合格した人が自分で書いているんですか？」

「そう……。わたしが書いてもいいんだけれど、名前なんかの場合、字の説明をしてもらわなければならないしね。だから……」

「そうでしょうね」

私は相槌を打ってから、『首頭重保』の欄に目をやった。そこには字画のはっきりした楷書の文字が整然と並んでいた。

「お姉さん」

私は、声を弾ませて言った。「これ、お義兄さんの字じゃないわよ。お義兄さん、自分の名前をもっと崩して書いていたから……」

「うん、あたしも、いまそう思っていたところなの。彼の字って、こんなに几帳面じゃないわ」

「お客さん、実はですね」

私たちのやりとりを聞いていたマスターが、口を挟んだ。「その『首頭重保』という名前を書いたのは、別の人なんですよ」

「別の人って？」

私は驚いて聞いた。筆跡から見ても義兄が書いたものではないとわかっていたから、そのこと自体には驚かなかったが、別人であることをマスターが知っている事実に驚かされたのだ。

「ええ、このちょっと先に、中平胃腸病院というのがあって、そこの院長さんが、本当の合格者なんです。ただ、職業柄、超辛級の合格者名に自分の名を出すわけにはいかないとおっしゃって、そういう名前にしたんです。しかし、実際にこの名前の方がいて、その奥さんが訪ねて来るなんて……」

「いま、マスターは職業柄と言いましたね。それ、どういうことなの？」

と、私は聞いた。マスターの説明で、一応の謎は解けたが、さらに別の謎が発生したという形だった。

「ああ、先生は胃腸科のお医者さんですからね。ふだん、患者さんに、あまり刺激の強い物を食べてはいけない、と言っているわけ。ところが、そのご本人が超辛ラーメンに挑戦したというのでは、患者さんに対して示しがつかない。だから、別の名前を書いておくと……」

「ああ、それで……」

姉は嬉しそうに笑った。「ここに名前が貼り出されたら『先生だって、刺激物を食べているじゃないか』と、言われますものね」

「でも……」

私は姉のようには笑えなかった。「その先生、なぜよりによって首頭重保なんて、あまりない名前を選んだのかしら」

一番の疑問は、その点だった。

偽名を使うのなら、もっと単純な名前にした方がよかったろうに……。

「何でも、先生の学校友だちだとかいっていましたよ。新学年になって先生が変わったとき、一番の楽しみは、果たして先生が『こうべ』と正しく読むかどうか、だったとか……。中には『かしら』と読んだ教師もいたそうですね」

その話は、私も聞いたことがある。それで、彼のことをふざけて『かしら』と、呼びかけたりもした……。

「中平病院というのは……」

姉が急に甲高い声を出した。「ちょっと先だとかおっしゃいましたね。歩いても行けるでしょうか？」

「ああ、行けますよ。地図を書いてあげましょう」

マスターは、カウンターの中に引き返した。美人の姉にサービスできることを喜んでいるようだった。

「それでは、お手数でしょうが、電話をかけて、先生のご都合をうかがっていただけません？」

「わかりました。しかし、大丈夫ですよ。あの先生、去年奥さんを亡くして、さびしがっているから、美人のお客さんが訪ねて行くと言ったら、患者を待たせてでも、会ってくれると思います」

マスターは、そう言いながら、電話機のダイヤルを回し始めた。

しかし、『宝麗』のマスターは、楽観しすぎていた。

中平胃腸病院の院長、中平誠介氏が私たちに会ってくれたのは、約一時間後の五時過ぎであった。

先刻通った大通りを、百メートルほど歩き、和風喫茶店の角を右に曲がったところが、中平病院であった。

私たちは、約束までの時間を、その和風喫茶店で過ごした。

その店の従業員たちは、不思議なくらい親切だった。私たちが、ホテルのことを聞くと、すぐに電話をかけて予約してくれたし、店を出るときには、ビニールの傘を二本貸してくれさえした。そこにいる間に、雨が降り始めていたから、この親切はありがたかった。

店の中では、姉との話は、あまり弾まなかった。

私の方は、胸の中に重い鉛のようなものができかかっていて、口を開く気分にならなかったのだが、姉は店に備えつけの女性用月刊誌が気に入ったらしく、それを読むのに夢中になっていた。

そう言えば……と、雑誌を読みふけっている姉を見ながら、私は思い出していた。昔から、彼女は本が好きだった。たしか、将来は小説家になりたい、などとも言っていた。ところが、結婚後の姉の家では、あまり小説の本などは見かけなかった。毎月渡される決まった額の家計費からは、本の購入費が捻出できなかったのだろうか。

義兄と高校時代の同級生だったという中平医師は、義兄より二つ三つは若く見えた。これは私にとっては、大きな驚きだった。

義兄も、年齢よりも若く見えたのだが、それでも、ときには『ああ、やはり……』と感じたものだ。ことに、話し方がのんびりしており、しかも回りくどい。

た。

『いや、それはだね、正確に言うと……』

などとやられると、正確に言ってくれなくてもいい、といらだたしく感じたりもした。

だが、中平医師は、そのような『老いの匂い』をうかがわせなかった。それどころか、

『え、本当？』

というような、若い人たちの言葉を使ったりさえする。私は、なかば呆れていた。

「参ったな。あれは夢のお告げなんですよ」

中平は、例の激辛試験が話題にのぼると、右手を首のうしろに当て、照れたように笑った。

「と、おっしゃいますと？」

姉は、烈しく瞬きをした。思いがけない返事に戸惑っているようだった。

「あの宝麗に行ったのは、たしか十月九日でしたね。その朝方に、ぼくは夢をみましてね。それが首頭君の夢で……。彼と一緒に、どこかでラーメンを食べているんです。彼は、ラーメンに胡椒をいっぱいかけて……。本当なら、くしゃみが出て大変なのだろうが、夢の中だから、くしゃみなんか出ない、と説明してくれるんです。目が覚めてからも、頭の中に、その光景が残っていましてね。それで、昼休みに、あのラーメン屋に行って、超辛級というのに挑戦したというわけです」

話の途中から、私は笑いを嚙み殺すのに一生懸命だった。

あれは、そんな単純なことだったのか。聞いてみれば、不思議なことでも謎でもなかった。あの和風喫茶店で、いろいろ思い悩んだことが、ばからしく感じられた。

「ラーメン屋の主人は、合格者の名前を貼り出したいと言う。しかし、ぼくは医者としては、ちょっとまずいと断ったところ、じゃあ別の名前を考えてくれ、と言うもので、夢を思い出して、首頭重保と書いたわけなんですよ」

「そうなんですか……」

姉は、大きな溜息をついた。「あたしは、ことによると、中平先生にお聞きすれば、主人の消息がわかるのではないか、なんて勝手な期待をもっていたんですが……」

「ご主人の消息？　すると、首頭君がどうかしたんですか？」

中平は、煙草の火を灰皿にこすりつけて消した。彼は医者としては、変わり者に属するのではないか。医者の癖に、喫煙の習慣を改めないし、超辛ラーメンに挑戦したりする……。

「ええ、お恥ずかしい話なんですが、現在行方不明になっておりまして……」

姉は義兄の『蒸発』の事実を、簡単に説明した。

「ふうん……、いやだな」

姉の話を聞き終わったとき、中平は吐き出すように言った。眉を極端に寄せ、頭をゆっくりと左右に振る。言葉通り、本当に『いや』そうであった。

「……」

姉は、黙って私に目を向けた。中平の『いやだな』という言葉を、どう受け取るべきか、私に助けを求めている——。

「あ、失礼。ぼくも医者の端くれ、つまり科学者のわけなんだが、いまの奥さんの話を聞いて、妙なことを思い出したんです。それで、思わず『いやだな』と言ってしまったんだが……」

「思い出したのは、どんなことなんでしょう？」

すがりつくような口調で、姉が聞いた。

「うん……。こんなことは、ご家族には話すべきではないとも思うんだが——」

「あのう、おっしゃっていただけませんか。あたしたちは、どんな小さなことでもいいから、彼についての情報を知りたいのです」

「じゃあ、お話ししましょう。実は、きょうの朝方また首頭君の夢を見たんです。場所はゴルフ場で、ぼくがティーアップして、さあ、これから第一打を打とうというときに、すぐ目の前に彼が現れたというわけです。危ないからどいてくれ、とぼくが言ったところ、彼が変なことを言った。『大丈夫だ。おれはもう死んでしまっているから、ボールが当たっても痛くない』と……。こうなんです。目が覚めて思いましたよ。変な夢だな。それにしても、このごろ、よく彼の夢をみる……。何か変わったことがなければいいが……。およそ科学者らしくない、そんなことを考えているところに、あなた方がやって来た。夢占いとか、霊魂とかは、信じないつもりだけれど、いまのお話を聞いて、もしやと思ったんです。そして反面、そんなことで、もしやなどと考えた自分がいやになりましてね」

しかし、中平の話は、私には大きなショックだった。

私の口の中は、からからに渇き、頭の芯のあたりで金属音が鳴っていた……。

ホテルの部屋は、ツインタイプであった。二つのベッドのほかに、窓際に肘掛け椅子が二つついている。

姉は、部屋に入るとすぐに、ルームサービス係に電話をして、ウィスキーの水割りセットを持って来させた。

そして、それが届くと、待ち兼ねていたというように、水割りを作って、口に運ぶ。

「どうしたの？　まるでアル中みたい」

私は、なかば呆れながら、姉に言った。

「アル中とも違うみたい。ただ、暗くなりかけると、無性に飲みたくなるの。でも、二杯ぐらい飲むと気分が落ち着くから、そのあとも飲み続けるということはないんだけれど……」

「まあ、二杯ぐらいなら、それこそ薬かもしれないわね」

私は敢えて反対意見を述べなかった。姉と一つ部屋に泊まるのは何年ぶりだろう？

姉が結婚してからは、そんな経験はなかったと思う。せっかく、同じ部屋に泊まるのだから、言い合いをして、気まずい思いはしたくない。

「ねえ、充子」

私が洗面所から戻ると、姉がこう呼びかけた。彼女が『充子』と、名前を呼ぶことは珍しい。アルコールのせいかもしれなかった。

「え？」

私は、警戒しながら、もう一つの肘掛け椅子に腰をおろした。

「あなた、さっきの話、どう思う？」

「さっきの話って、中平先生の？」

「そう。彼、本当に死んじゃったのかしら？」

「まさか……。あれは、あの先生の夢のお話じゃないの。第一、夢の話なんて、どんな風にでも作れるんだもの、信じる根拠全然ないわ」

「そう？」

姉は、上目遣いに私を見た。いままで見たこともないような、意地悪そうな目つきだった。

「でも、あの話を聞いた瞬間、あなた、真っ青になっていたのよ。あのまま気を失ってしまうのではないか、と心配になったくらい」

「それは、あんな話を聞かされれば、だれだって気味が悪くなるわ。でも、よく考えれば単なる夢の話だし……」

「そうね。どう飲まない？」

姉は、新しいグラスに水割りを作ってくれた。

「ええ、いただきます」

私は、そのグラスに手を伸ばした。グラスの冷たい感触が快かった。

「でもね、中平さんの夢が正夢だったらどうする？」

姉は、また私の顔をのぞきこんだ。

「正夢って、お義兄さんが死んでいるということ？　そんなはずないじゃないの。事故にしろ突然死にしろ、どこかで死ねば、だれかが届けるだろうし……。届けがあれば、警察から連絡があるはずだわ」

「でも、死体が隠されていたら、どう？　つまり、誰かに殺され、死体は埋められてしまった……」

「そんな……」

私は、横を向いた。「お義兄さんが殺されるなんて……。会社の人たちだって、首頭さんに敵があったとは考えられない、と言っているんでしょう？」

「殺意なんて、はたからはわからないのじゃないかしら？」

姉は、二杯目の水割りを作った。「早い話が、あたしだって、彼を殺したいと思っていたの」

「え？」

私は、口に含んだ氷をグラスに戻した。

「どういうこと？」

「どういうことって、言葉通りの意味よ。最初は、積極的に殺そうとまでは思っていなかったわ。死んでくれたらいいな、という程度の願望」

「どうして？」

私はグラスをテーブルに置いた。姉が義兄に対してそんな感情を持っていたとは……。

「わからない？　さっきも言ったように、彼は、毎月家計費しか、あたしに渡さないのよ。その家計費にしたって、ときどき家計簿をチェックして……。彼は、いつまで経っても、あたしの保護者のつもりでいるの。こんな状態が、あの人の定年後にも続いたら、と考えると、わあっと叫びたくなる……。彼、会社の仕事とか、財テクとか、現実的なことにしか興味がないのね。あたしが、お友だちから小説を借りて読んでいると、作り物の話を読んで何が楽しいんだ、と言うし……。とにかく人生観が違うのよ」

「そういう夫婦って、多いみたいね。だから、夫が定年になると同時に、妻が離婚を申し出るとか……」

「でも、あたし、そうなってからではおそいという気がするの。どうせ別れるのなら、若いうちの方がいいし……」

「そのこと、お義兄さんに話した？」

思い当たることがあった。『あいつは、おれと別れたがっているし……』という言葉。そんないい加減なことを言って……と私は信じなかったのだが、案外、本当の話だったのかもしれない。

「言ったのよ。でも、彼は、あたしが嫌がらせを言っていると受け止めていたみたい」

「嫌がらせ？」

「本当のことを言うと、彼には女がいたの。あたしとしては、彼がそっちの方へ行ってくれるなら、それはそれで構わないという心境だったのだけれど、彼はあたしの強がりだと思っていたらしいわ。妻は夫の女性関係に嫉妬をするもの、という固定観念を持っていたみたい」

「……」

私は、動揺を隠すために、再びグラスに手を伸ばした。

「どう？　驚いた？」

姉は、皮肉っぽい目つきで、私の顔をのぞきこんだ。

「ええ……。お義兄さんに、そんな女がいたなんて……」

と、私は辛うじて応じた。

「充子って、変な子ね」

姉の二杯目の水割りは、ほとんど残っていなかった。目が、いくぶんとろんとしているが、本当に酔っているとは思えなかった。

「どこが？」

私は挑むように言った。正面からぶつかるのは危険だ——。そんな警戒信号が、頭の片隅で鳴っていたが、こうやって、ホテルの一室で向かい合ってしまった以上、避ける方法はない。

「彼は家に帰って来ない。しかも、彼には女がいる。こういう状況のとき、普通真っ先に考えるのは、彼が女のところに行ったきりになっているのではないか、ということだと思うの。あるいは、二人で海外旅行に出かけているのではないかとか——。ところが、あなたは、そんなこと何も言わなかった。どうしてかしら？」

「だって、無理よ。お義兄さんに愛人がいたということ自体がショックで、そこまで気が回らなかったんだもの……」

「そう？　でも、彼の蒸発以来、もうだいぶになるけれど、あなたが女関係をあたしに質問したことはなかったわ。これも不自然だと思うの」

「何が言いたいんですか？」

私の顔色は、恐らく青ざめていただろう。額に冷汗がにじみ出て来るのが、自分でもわかった。

「それから、例の激辛試験のこと。普通の人だったら首頭重保の名前があったと聞けば、彼がそこに行ったと考えると思うの。ところが、あなたは、最初から別人じゃないかと思っていたようだし……」

「だって、現実に別人だったじゃないの？」

私はなかばやけになっていた。問題は、姉がどこまで知っているかだった。

「そして、あの宝麗というラーメン屋さんに行き、壁に彼の名前が貼ってあるのを見ても、彼があそこに行ったとは思わなかったでしょう？　彼が、こんなまずいラーメンを全部食べるはずがない、とか……。ノートの筆跡を調べる気になったのも、十月九日に彼がラーメンを食べたりするはずがない、と確信していたからではないか、あたしには、そう思えるのだけれど……」

「じゃあ、姉さんは――」

私は、自分のグラスにウィスキーを注ぎ足した。「あたしを、ずっと試していたの？」

「そう……」

姉は、私の反撃を、平然と受け止めた。

「その結果、いろいろなことがわかったの。ことに、一番効果的だったのは、中平先生のお話だったの。先生の夢の中に、彼が現れて、『おれはもう死んでいる』と言った、というところで、あなたの顔色は真っ青になったもの……。それを見て、ああ、彼はやっぱり死んでいるんだな、とあたし思ったの」

「……」

私は、氷を口の中に入れ、奥歯で嚙んだ。不思議に冷たさを感じなかった。

「ねえ、死体はどこにあるの？　運ぶのは大原さんに手伝ってもらったの？」

姉は追い討ちをかけるように聞いた。

「どうして……」

私は喘いだ。姉は、大原義彦のことまで知っているのか……。

こうなったら、すべてを打ち明けた方がいいのかもしれない。


二年前の秋、お堀端のホテルで、ばったりと義兄に遭った。彼は取引先の人をホテルに送って来たところだったという。私の方も、学生時代の友人三人とおしゃべりして、別れたばかりのところだった。昼食を一緒にとり、そのあと喫茶のサロンで話をしたのだが、すでに家庭に入っている友人三人は、三時を過ぎたあたりから、そわそわし出し、結局私ひとりが取り残されたのだった。勤め先には代休をもらっていた。このあと、どうやって時間をつぶそうかと迷っていたところに義兄に遭ったのだった。

『どう？　映画でも見ようか？』

と、義兄が誘い、私は受け入れた。

映画館で手を握られたとき、はねつけなかったのは、どういう心理だったのだろう。

『前から、お義兄さんが好きだったんだもの……』

あとになって、義兄にそんな風に説明したが、それは単なる社交辞令ではなかったと思う。姉に対して憧れに近い気持を持っていた私は、姉の配偶者にも、同じような感情を抱いたのかもしれない……。

手を握られたことで有頂天になり、私は変質してしまったようだ。映画のあと食事をしたのだが、そのときのワインが、私から自制心を奪った。

私は酔ったふりをして、義兄に腕を絡めて歩いた。もし義兄が誘わなかったら、私の方から、

『どこかで休んで行きたい』

と言うつもりだった――。

「彼は日記をつけていたの」

と、姉は私に笑いかけた。酔っているための笑いなのか。不気味さに、私は目を逸らせた。

「彼の机に、二重底の引き出しがついていて、そこに隠しておけば安全だと思っていたらしいわ。見つけたのは、ことしの二月ごろだったかしら？」

「でも、姉さんは、あたしと会っても平気な顔していたわ」

「だってあたしは彼と離婚したかったんだもの。日記で見る限り、彼はあなたにだいぶお熱だったから、そのうち、あなたの方に行ってしまうのではないか、そうなったらいい……。あたしは、そう考えていたの」

「そんな……」

私は首を左右に振った。それなら、あれほど神経をつかう必要はなかったのか。義兄の死体を隠す気になったのも、姉を傷つけたくなかったからなのに……。

「ところが、ことしの六月ごろから、彼とあなたの間に微妙な変化が起きた。彼の日記によると、どことなくあなたがよそよそしくなった……。そして、やがて、あなたは大原さんのことを打ち明け、彼に別れてくれと切り出す。そうだったわね？」

「ええ……。あたし、お義兄さんは快くＯＫしてくれると思っていたの。若い人ならともかく。お義兄さんは分別盛りなんだし……」

「でも、彼は絶対に別れないと言ったのね。あの人は、そういう人なの。もう五年ぐらい前かしら、私が慰謝料も何もいらないから離婚してくれと言ったときにも、承知してくれなかったわ。一度手に入れたものは、絶対に手放したくない。そんなこどもっぽいところが、彼にはあるのよ。ほかの言葉で言えば欲ばり――。月給を全部あたしに渡さないのだって同じ心理だと思うわ」

「そう……。大原さんのことまで、姉さんは知っているの……」

私は絶望的になっていた。

「その日記、もう焼いちゃったわ。ページもばらばらにして、毎日すこしずつバケツの中で……」

「………」

私は黙って姉の顔を見つめた。姉の意図がわからなかった。

「何、驚いた顔しているの？　あたしが警察に言うとでも思ったの？　そんなことするはずないじゃない。あなたが警察につかまれば、あたしは殺人犯の姉ということになるでしょう？　テレビはワイドショー番組で、いろいろ言うだろうし……。第一、彼がいなくなってあたしせいせいしているんだもの」

「でも……」

「もう気づいただろうけれど、激辛試験に彼の名前を出すようにしたのは、あたしが中平先生に頼んだからなの。本当は彼の友だちなんかではなく、あたしのボーイフレンドなの。あたし、彼が本当に死んでいるのかどうかを確かめたくて、あんなお芝居をやってみたの」

「……」

ひどいわ、そう言うつもりだったが、言葉にならなかった。

私が一番恐れていたのは、義兄との関係が姉に知れることだった。こどものころからかわいがっていた妹に裏切られたと知ったら、姉は極度の人間不信になり、自殺してしまうのではないか。そんな恐れがあったから、私は秘密の保持に気をつかったのである。

第一、義兄を殺した事実を隠していたのも、義兄との関係を姉に知られたくなかったからだ。

殺人自体には、それほど大きな罪悪感は持っていなかった。

私にも悪いところはあったが、映画館で手を握って来たのは義兄の方である。いや、そのことはともかく、私からの別れ話に応じず、大原に一切をばらすとまで言い出した義兄の卑劣さ。私は、その卑劣さ、さらに男のわがままを処刑したのである。

「問題は死体の隠し場所ね」

と、姉は言った。「どこかの山の中だったら、もう白骨死体になっているでしょうけれど……」

「場所は、あたしも知らないの」

「じゃあ、大原さんが一人で？」

「ええ……」

しかし、結局、大原とは別れてしまった。彼は、私に同情して後始末を手伝ってくれたのだが、殺人者を妻にするだけの勇気はなかったのだろう。

『しかし……、絶対に君の秘密は守る』

アメリカに飛び立った大原が、成田で私に言った言葉である。

『あたしも……』

と、私は言った。『どんなことがあっても、あなたの名前は出さない』

姉のために殺人を隠した私だったが、いまは大原のためにも、それを隠し通さなければならない……。

古い約束

坪井の自宅に電話をかけてみよう。榎戸がそう思いついたのは、駅の改札口を出た直後であった。

この時刻なら、坪井も会社に向かっているはずだから、電話口には依子が出て来るだろう。いまさら、彼女の弁解を聞いてもしようがないが、約六時間、彼女を待った事実だけは知らせて置きたい……。

だが、駅のコンコースにある公衆電話は、四台とも、サラリーマン風の若い男たちによって使われていた。この近くの会社に勤める人たちらしいが、朝のこんな時刻に、どこに電話をかけているのか。

榎戸は、ちょっとの間待ってみたが、すぐには空きそうにないので、諦めて会社に向かった。

それにしても……。榎戸は歩きながら、考えていた。それは、きのうから何度となく、榎戸の頭の中で繰り返された主題であった。依子は、なぜ来なかったのか。

もともと、きのうがいいと言ったのは、依子の方であった。

『彼には、高校時代の友だちが北海道から出て来たと言ってあるんです。実家の母に頼んで、健作の面倒を見てもらうことになっているし……』

だから、十一時ごろまでは自由だ、と依子は言ったのであった。

最も可能性が高いのは、彼女の息子の健作が急病になったという事態であろう。幼児というものは、母親が出かけるような場合、不思議に熱を出すものらしい……。そのことについては、榎戸の妻の百合子もよく言っていた。

『こどもって、特別の勘を持っているのかしら……』

そして、そのようなこどもの勘が、夫以外の男とホテルで会おうという母親の意図を見抜き、その直前に、発熱という強硬手段で止めたということなのだろうか。

榎戸は苦笑した。いつの間にか、会社の近くに来ていた。考えごとをしながらも、足は自然に会社に向かっていたことになる。

その榎戸の目が、公衆電話ボックスを捕えた。それは、会社の入口のすぐ前にあった。ふだんは、そんな場所に電話のボックスがあることには気づかなかったのだが……。

榎戸は、ちょっと考えてから、それに入った。電話は会社に行ってからでもかけられなくはないが、その場合は、どうしても周囲の耳が気になる。ことに、坪井には聞かれてはならないことであった。第一これは、職場に着く前に解決して置くべきことである。

電話機にカードを入れ、手帳を見ながらボタンを押す。番号は暗記していたが、念のためと考えたのだ。

電話がつながり、呼び出し音が響いた。榎戸は、妙な息苦しさを感じながら、相手を待った。

「はい、坪井です」

意外なことに、電話に出たのは男だった。というより、間違いなく坪井本人だった。

次の瞬間、榎戸の左手は自然に電話機のフックにかかり、それを押し下げていた。

電話ボックスを出ながら、榎戸は腕時計を見た。九時二十分に間違いなかった。

この時刻に、なぜ坪井は自宅にいたのか。蒲田《かまた》にある彼の家から、あと十分で会社に来ることは不可能である。

まさか……。会社の玄関を入りながら、榎戸は頭を振った。最悪の事態を彼は頭に描いたのだった。

何かがきっかけで、坪井は依子に不審の念を持った。問い詰められた依子は、榎戸との約束を打ち明け……。

だからこそ、きのう依子はホテルに来られなかったのであり、坪井としても榎戸の顔を見たくないというので、会社には出ないことにした……。

エレベーターを四階で降り、廊下を右に曲がる。すれ違って何人かの社員が、頭を下げて挨拶をした。

榎戸が課長をしている営業企画課には、課員は八人しかいない。

榎戸は席に着くと、部屋を見回して、目で人数を数えた。七人だった。そして、欠けている一人が坪井であることも、すぐわかった。

やはり、さっき電話に出たのは坪井だったことになる……。榎戸は、意味もなく眼鏡を外し、ハンカチでレンズを拭いた。

「お早うございます」

ことし入社した秋山美津が、お茶を淹《い》れて運んで来た。

榎戸の会社でも、去年から『お茶は銘々が自分で』ということになったが、課長の榎戸にだけは、女性課員が交替で、朝のお茶を淹れてくれる。

「やあ、どうも……」

「それから……」

と、秋山美津は続けた。「さきほど、坪井さんからお電話がありまして、きょうは欠勤したいということでした」

「坪井君が？」

榎戸は、改めて坪井の席に目をやった。彼のいないのに、初めて気がついたという演技であった。「理由は言わなかったの？」

「ちょっと、ごたごたがあったとか……」

秋山美津は、心細げに答えた。

「ごたごた？」

榎戸の声は、自然に尖った。「彼がそう言ったの？」

「はい……」

「電話は、君が受けたのだね？」

「はい、ほかには、どなたも来ていなかったもので……」

「何時ごろだった？」

「九時ちょっと過ぎでした」

「わかった。どうもありがとう」

と、榎戸は言った。新入社員としては、先輩の坪井に、あまり突っ込んだ質問はできなかったのだろう……。

坪井の電話が九時だったことに、榎戸は疑問を持った。会社の始業時刻は、九時半である。従って、三十分前の九時には、顔を見せていない課員の方が多い。そのことは、坪井も知っているはずであった。わざわざそんな時刻に電話をかけて来た坪井の真意が、忖度《そんたく》しかねたのだ。

榎戸は、お茶を一口飲んでから、卓上の電話機に手を伸ばした。欠勤の電話があった以上、彼の家に問い合わせても不自然ではないだろう……。手帳を見ずに電話をかけてしまったと思った。

ボタンを押し終わってから、榎戸はしまったと思った。手帳を見ずに電話をかけてしまった……。

あわてて周囲に目を配ったが、榎戸に注意を払っているものはいないようだった。

どうも神経質になり過ぎている……、榎戸はそう反省した。たとえ、榎戸の動きをだれかが見ていたとしても、別に怪しみはしなかったはずだ。課長が課員宅の電話番号を知っていることは、決して不自然ではないのだから……。

「はい、坪井です」

先刻と同じように、電話には坪井が出た。

「ああ、榎戸だけれど……」

探りを入れる意味で、榎戸は声を落としていた。

「ああ、課長……。すみません、きょうは休ませて下さい」

「うん、それは聞いた。電話を受けた秋山君の言葉だと、何かごたごたがあったとか……」

「ええ、参りました。女房が病気になりまして……。こどもを幼稚園に送り出すとか、雑用がいろいろで……。それで会社の方は、休ませていただきたいと……」

「ああ、奥さんの病気ね」

榎戸は、肩のあたりが軽くなった。「どこが悪いの？」

「それが、よくわからないのです。熱がかなりひどくて……」

「ふうん……。いつごろから？」

「ええ、昨夜だと思うのですが……。実は、ぼくはきのう麻雀をして、帰ったのは十二時近くだったのですが……。そのときには、もう熱が……。あとで、病院に連れて行くつもりですが……」

「そう……。まあ、お大事に……」

榎戸は、そう言って電話を切った。

それでは、依子はきのう家を出ようとしたとき、急に熱が出たのだろう。それで、あの約束の場所に来られなかった……。

まあ、それならよかった。榎戸は溜息をついた。安堵《あんど》の溜息と言えるだろう……。病気というのが気掛かりではあるが、彼女との秘密が坪井に知られたというのよりは、ましであろう……。

ところが、この日の午後、榎戸は電話で呼び出されて坪井と会った。

『本当のことを話したいから、ちょっと出て来てください』

と、坪井が言ったのである。そして、会社から歩いて五分ほどのところにあるビジネスホテルの喫茶コーナーを、会う場所に指定して来た。

『本当のこと』という言葉が、榎戸を引きつけた。

榎戸は、その少し前から、朝の電話で言われたことに疑いを持ち出していたのだ。

坪井によると、依子はきのうから発熱したという。だが、ホテルから榎戸が部屋番号を連絡したとき、

『2507。あら、二号の女ですね。覚え易いわ』

と、番号をもじって笑った依子の声は、悪いところなどどこにもないように明るかった。

だから、発熱したとすれば、あのあとということになるのだろうが、人間はそんなに急に病気になるものだろうか。

それに、本当に発熱して外出を諦めたのだとしても、榎戸がすでにホテルの部屋を予約して、彼女を待っていたことは承知していたのだ。行かれなくなったという電話ぐらいは、どんなことをしてでもかけられたはずである。

そうした事実に気づいたとき、榎戸は依子が病気だということに疑いを持ったのであった。

そこに、『本当のことを話す』という坪井からの電話であった。幸い、特別の用もなかったから、榎戸はそのビジネスホテルまで、出向いて行ったのである。

「実はですねえ……」

坪井は、ビールをグラスに注ぎながら言った。「女房の病気というのは嘘なんですよ。本当は家出されたのだけれど、それでは格好が悪いと思って、さっきは病気と言ってしまったのです」

「ふうん……。ぼくも、何となく様子がおかしいと思ったんだがね」

榎戸はコーヒーのカップを手に取った。まだ勤務中だから、ビールを飲むわけにはいかない……。

「しかし、課長には隠すべきではないと考え直し、相談にも乗って頂きたくて、こうやって来たわけなんです」

「うん、しかし、その家出というのは、どんな状況だったの？」

「女房がきのうの夜外出することは、前から聞いていたのです」

坪井はビールを一口飲んでから、溜息をついた。「高校時代の親友が、北海道から出て来たとかで……。それで、女房の実家から母親に来てもらい、息子の面倒を見てもらったのですが……」

「なるほど……」

そこまでは、榎戸の聞いていたことと同じだった……。だから、十一時ごろまでに帰ればいい、と依子は言っていた。

「さっき言ったように、ぼくは会社が終わったあと、麻雀をやって……、帰ったのは十二時近くでした。女房はまだでしたが、ぼくは別に不思議にも思いませんでした。久しぶりに会った友だちと話が弾んで予定より遅くなるということは、ありがちなことですから……」

「奥さんは、何時に帰る予定だったの？」

「実家の母には、十一時ごろになるだろうから、先に寝ていてくれと言って出かけたそうです」

「ふうん……それで？」

では、依子は家を出るときには、榎戸の待つホテルに行くつもりだったのだろうか。

「きのうの夜は、ぼくの方も、翌日の会社のこともあるし、そのままシャワーを浴びて寝てしまったんですが、今朝起きてみると、女房はまだ帰って来ていないというわけです」

「夜中に電話がかかって来たのだけれど、君は眠っていたとか……」

「それはないと思います」

坪井はグラスにビールを注ぎ足した。「電話機は、夜間は枕元にあるのだし……。それで、女房の母親は、とにかく会社には行けと言ってくれたんですが、会社に出ても落ち着かないだろうと思い、休ませて頂いたんです」

「まあ、落ち着かないだろうな。で、さっきの電話のあと、奥さんから連絡は？」

「ありません。ただ、そうかもしれないという電話は、あの前に一回ありましたが……」

坪井は、右手で左の肩を叩いた。

「そうかもしれない電話？」

と、榎戸は聞いた。

「九時二十分ごろでしたが、電話のベルが鳴り、ぼくが出ると切れてしまったんです。あれは、きっと女房だと思うんです」

「ふうん、どうして？」

榎戸は、目をコーヒーに落とすようにして聞いた。それは自分だったというわけにはいかない……。

「その時間は、ふだんなら、ぼくは家にいませんよ。だから、女房は家にかければ、母親が出ると計算して電話をしたのだと思うんです。ところが、それにぼくが出てしまったので、とっさに電話を切ってしまった……」

「ふうん……。すると、奥さんは、お母さんには何かを言うつもりだったと……」

「ええ、あの親子仲がいいんですよ。ぼくに言えないことも、母親には打ち明ける。そんな感じがするんですよ」

「そのう……」

榎戸は、言葉を選びながら聞いた。「北海道の友だちとどこで会うことになっていたのかな」

「そこまでは聞いていないんですよ」

と、坪井は首を振った。一瞬、榎戸はほっとした。依子が、クリスタルホテルの名前を出していたりすると、きのうそこで彼女を待っていた榎戸の名前が、何かのきっかけで、浮かび上がる可能性もある……。

「ふうん……それから、手紙のような物は残していないの？」

「いいえ……。少なくともぼくは見ていません」

坪井は、微妙な表現をした。

坪井の妻依子は、榎戸がいまとは別の課にいたときのアシスタントだった。そんな縁で、彼女の結婚披露パーティーでは、お祝いのスピーチをさせられた。

彼女が榎戸の下にいたのは、一年足らずだったが、彼がこれまでに組んだアシスタントの中では、最も印象に残っている。それは、彼女が頭の回転が早く、仕事の上で有能だったからでもあるが、戯れに交わした会話が刺激的だったことも作用していたようだ。

依子が、結婚のために退職するというので開かれた送別会の席で、榎戸は彼女の耳にささやいた。

仕事上のペアーだというので、送別会でも、席は隣り同士になっていた。

『おめでとう。しかし、ちょっと残念な気もするな。いまだから白状するけれど、そのうちに口説こうかな、と思っていたんだよ』

『あら、本当言うと、あたしも不倫するなら榎戸さんだと思っていたんですよ』

榎戸は、顔を遠ざけるようにして、依子を見た。彼が持っていた彼女のイメージと余りに違う答えに驚いたのだった。依子の口から、不倫というような言葉が出るとは……。

『どうしたんです？　本当ですよ』

依子は横目をつかって榎戸を見た。その目つきが、色っぽかった。

『からかっちゃいけないよ』

と、榎戸は言った。『君は面食いだと言っていたじゃないか。ぼくなんか、どう欲目で見たってハンサムじゃないし……』

『でも、セクシーですよ』

依子は、榎戸を遮った。『それに、ほかに人のように所帯じみていないもの』

『……』

榎戸は黙っていた。妻の百合子も、かつて同じようなことを言ったが……。

『例えばですね』

依子は、顔を榎戸の方に向けた。『ワイシャツはいつも糊が利いているし、スラックスにはちゃんとアイロンの線が入っているでしょう……。女って男性のそういうところが、意外にぐっと来るんです』

『光栄だけれど、本当は、そういうことこそ、所帯じみている証拠じゃないかな。糊の利いたワイシャツ、アイロンのかかったズボンを毎日準備する女性が、背後にいるというわけだから……』

『ふうん、そう言えばそうね……』

依子は、妙に感心してしまった。

『しかし、まあ、不倫は結婚してからでもできる。不倫願望が起きたら、いつでも電話を頼みます』

最後は、冗談めかして会話を終えたのだったが……。

依子に言ったように、榎戸は自分をハンサムだと思ったことは、学生時代から一度もなかった。だから、結婚もだれかの世話で、見合いですることになるだろうと思っていたのだが、会社の命令で通い出したコンピューター教室で百合子に出会い、彼女に引き摺《ず》られる形で結婚したのであった。

『何ていうのかな。あなたって、生活に追われている感じがないの。そこが素敵だった』

ははあ、そういうことか……。結婚後、百合子に言われ、榎戸は改めて親に感謝した。

榎戸の父親は大学時代に、母親は彼が就職すると同時に亡くなったのだが、世田谷にアパート二軒を残してくれた。管理は不動産会社に任せていたが、その毎月の家賃は彼の給料の何倍かであった。

そういった経済的余裕が、彼の挙措にも反映し、『生活に追われている感じがない』という受けとめ方をされたのだろう。

そして、そんな風に見えることは、現代では異性を引き付ける武器になるらしい……。

それを知ってから、女性に対する榎戸の態度は、多少変わったようだ。

結婚した翌年、百合子の妊娠中に、ボウリング場の受付け嬢を口説いてみたら、すぐに乗って来たし、行きつけの喫茶店のウェイトレスとも浮気をした。

思えば、そういう経験があったからこそ、送別会で依子に『残念だったな』というようなせりふも口にできたのであろう……。

ただ、それは本気で口説いたのではなく、言わばプレイというような気持であった。ところが、依子からは、さらに刺激的な返事が返って来た……。

依子が結婚した坪井は、その翌年に仙台支社に転勤になった。その転勤直前、会社にいる榎戸に依子から電話がかかって来た。

『しばらく、お別れすることになるので』

その挨拶だと言う。

『お別れというのは、変じゃないか。結婚以来、東京にいるときだって会っていなかったのだから……』

榎戸は笑いながら軽口を叩いた。

『それはそうだけれど……。でも、あたしなんか、町を歩きながら、ことによると榎戸さんに会えるかなと期待していたんですよ。でも、仙台に行ってしまったら、偶然に遇うこともないし……』

『ふうん……。すると、そろそろ不倫願望が出て来たということ?』

『うん……。そこまではちょっと……。あたしいま、おなかに赤ちゃんがいるんです』

『それはおめでとう。そうか、要するに、幸せいっぱいだと言いたかったんだな』

『すみません。だから、あの約束は当分お預けにして下さい。こどもが生まれれば、子育てで不倫どころじゃあないだろうし……』

依子は、そう言うと嬉しそうに笑った。

『はいはい、お預けね。しかし、お預けはあくまでお預けで、反古《ほご》にするというわけではないからね』

『はい、わかりました』

相変わらず笑いながら依子は答えた……。


坪井が仙台に行った二年後に、榎戸は新しくできた営業企画課の課長になり、さらにその二年後、東京に戻って来た坪井が、榎戸の課に配属された。

『家内も宜しくと申しておりました』

新任の挨拶で、こう坪井に言われた榎戸は、

『奥さんも元気なんだろう？』

と、聞き返しながら、あの約束は、結局、お預けのまま終わるのだろうな、と考えていた。

坪井が直属の部下になった以上、その妻と情事を持つわけにはいくまい。そして、依子の方も同じ気持であろう……。

その依子が、榎戸を訪ねて来たのは、半月ほど前であった。いや、彼女が面会に来た相手は坪井だったのだが、その日、坪井は日帰り出張で横浜に行っていたのだ。それで、依子は榎戸に面会を申し込んだということだった。

『ちょっと買物に来たついでに、寄ってみたんです。榎戸さん、ちっとも変わっていませんね』

会社の地下にある喫茶店で、依子はまぶしそうな目で榎戸を見た。

『いや、このあたりが、そろそろ薄くなってね』

と、榎戸は頭を撫でた。『それにしても、せっかくご亭主とデートしようとしたのに、気の毒だったね』

『そうですよ』

と、依子は笑った。榎戸の好きな笑顔だった。『久しぶりに、一緒に食事でもと思ったのに……』

依子は、美容院に行ったばかりといった感じの髪をしていた。

『しかし、彼がきょう横浜に行くことは、前から決まっていたんだよ。聞いていなかったの？』

『そうなんですか？』

依子は眉をしかめた。『彼、きのうも麻雀で帰りはおそかったし……。一体に会社のことは話さないんです』

『うん……』

恐らく、依子の方もこどもに掛かりっ切りなのだろう。そう言いかけて、榎戸は思い出した。

『ところで、きょう、お子さんは？』

『実家の母が見てくれているんです。一週間に一度は孫の顔を見に来てくれて……』

『そう……、じゃあ、あなたもたまには息抜きができるわけだ』

『ええ……』

うなずいたあと、依子は急に笑い出した。

『何だ？　思い出し笑いか？』

『思い出し笑いともちょっと違うんです。榎戸さんが何を考えているのかな、と思ったらおかしくなって……』

『ぼくが考えていること？』

『ええ、当ててみましょうか？　母が孫の面倒を見てくれるのなら、あの約束を果たしてもいいじゃないか。そう考えたでしょう？　違います？』

『ばか言いなさい』

あわてて榎戸は否定した。『そんなことは考えていなかった』

『ふうん、そうか、あたしがお婆ちゃんになっちゃったんで、あの約束はどうでもよくなったんだ』

『そんなことはない』

榎戸は、周囲を見回しながら言った。会社の者はいないようだった。『約束のことは、さっき、顔を見た瞬間に思い出していたよ。しかし、たぶんそっちが忘れているだろうと思い、黙っていたんだ』

『本当ですか？』

依子は、顔を曲げて横目遣いをした。『でも、相変わらず、ワイシャツはぱりっとしている……。奥さまは大変でしょうね』

『ははあ……』

榎戸は苦笑した。『女房のことを言い出したのは、予防線だろう？』

『違いますよ。そのワイシャツ、やっぱりセクシーだと思って……。だから、いきなりきょう出て来いと言われても無理だけれど、前もって言ってくだされば、健作を母に頼めるから……』

『そう、じゃあいま決めようか』

榎戸は手帳を出した。鉄は熱いうちに打てといった気分だった。『ええと、来週の水曜あたりは……』

『来週ですか？』

依子は遠い目をした。『ご免なさい。ちょうど、お使いさんが……』

『お使い？』

『ええ、わかりません？　月よりの使者』

依子はからかうように言った。

『ああ……』

それを聞いた瞬間、榎戸の下腹部に変化が起きた。

榎戸は、依子とそんな会話を交わしながらも、結局は一緒に食事をするという程度で終わるだろうと考えていたのだ。ところが、依子は本気で、もっと先のことを考えているらしい。そう知ったことが、榎戸に生理的な変化を呼んだのであろう。

榎戸は新鮮な感動を覚えた。ここしばらく、会話によってこのような現象が生じたことはない……。

坪井は、そのあとも二日、会社を休んだ。女房がいなくなったくらいで、会社を休むとは……と榎戸は考えたが、坪井の世代の者にとっては、それが当然なのかもしれなかった。そもそも、会社勤めをするのは、家族のためなのだから、家族の大事の際にも会社に出勤するのでは、本末転倒ということになるのだろう……。

その二日後の午後、会議に出ている榎戸に受付けから電話があった。京品署の刑事が面会に来たという。

京品署と聞いて、すぐに思い当たった。それは坪井の自宅を管轄する警察署であった。そして、この朝、坪井は警察に捜索願いを出すつもりだと言っていた……。

榎戸は、刑事に三十分ほど待ってもらい、会議が終わってから、応接室に請じ入れた。刑事はちゃんと警察手帳を見せてくれた。京品署の森山という刑事だった。

「もうご存じだと思いますが、課長さんの部下の坪井氏から、奥さんの捜索願いが出されまして……」

森山は、榎戸が応接室内の自動販売機から取りだした缶ジュースを受け取ると、そんな風に切り出した。

「ええ、聞いております。しかし、警察がこんなに早く動いてくれるものとは、知りませんでした」

榎戸は余裕を見せようという意識から、そんな風に言った。

「というと？」

森山は、缶ジュースの蓋を開けながら、不思議そうに眉を動かした。

「いや、捜索願いを出すという話を聞いたとき、ぼくは、まあ気休めだろうと思っていたのですよ。捜索願いを受け付けてはくれるが、実際にはなかなか捜査してくれない、というようなことを聞いていたものですから……」

「ああ、本当言うと、それが普通なんです。実は坪井さんは、わたしの高校の一年先輩でしてね。まあ、わたしも特別な事件を抱えているわけではないし、できるだけのことはしようと……」

「なるほど……」

榎戸もジュースに口をつけた。あまり冷えていない……。

「ところで、課長さんは、坪井夫人がいなくなった日、どこにいらっしゃいました？」

「あの日ですか？　つまり、ぼくのアリバイが問題なのですか？」

そう答えながら、榎戸はまずいな、と思った。質問を受けたとたんに、顔に血が上るのが、自分でもわかったのだ。

「いや、アリバイというわけではなく、確かめる必要が出てきたものですから……」

「ははあ、それはどういうことです？」

「これなんです」

森山は、手帳を出すと、それに挟んであった紙を手でつまんだ。下に銀行の名が入ったメモ用紙だった。しかし、一見したところ、何も書かれていない。

「実はですね」

と、森山はまた眉を動かした。「これは坪井さんのおたくの電話機のそばにあったメモ用紙なんです。何も書いてないように見えるけれど、こうやって見ると、数字が読めるんですよ」

森山は、紙を斜めにして見せた。「要するに、奥さんがボールペンで何かのメモをしたのが、その筆圧で下の紙に跡をつけたんですね」

「……」

「こういうのは、鑑識で調べれば、すぐにわかります。書かれていたのは、クリスタルホテルの電話番号と、２５０７という数字でした」

「ははあ……」

榎戸は、そう相槌を打つのがやっとだった。その相槌さえ、はっきりと声になって出なかった。さすが、警察だ……。

「そこで、クリスタルホテルであの日の宿泊カードを調べてみると、2507号室にチェックインしたのは、榎戸信一という人物だった。まあ、こういうわけなんです。そこでお聞きしたいのですが、課長さんご自身が、チェックインなさったのか、それともホテルのカードをだれかに貸したものなのか……」

「参りましたな」

榎戸は、脚を組み替えた。森山は、カードを使ったことまで調べている。カードを貸したと言えば、だれに貸したかと質問して来るだろう……。榎戸は、大きく息をしてから答えた。

「ええ、ぼくです」

「なるほど……」

一段と大きく森山の眉が上下した。「それからですね、ホテルからかけた電話は、コンピューターで、局番及びそれに続く番号の最初の二桁が記録されるのですが、それはご存じでしたか？」

「ええ、知っています。支払い明細書に書いてありますから……」

「その記録によると……」

森山は、手帳を開き、睨むような視線を榎戸に注いだ。「2507号室からは、一度だけ外線電話がかけられており、その相手はどうも坪井さんの家らしい。その点についてはどうです？」

「たしかに、ぼくは坪井君の自宅に電話をかけました」

榎戸は認めた。このように迫られたら、認めないわけにはいかなかった。

「時間から見ると、そのとき、坪井さんの家にいたのは、奥さんとお婆さん、それにこどもさんなのだけれど、お婆さんは電話に出た覚えはないそうです。従って、課長さんの電話には、奥さんが出たことになる。違いますか？」

「………」

榎戸は黙ってうなずいた。ジュースの缶を手に取ったが、すぐにテーブルに戻した。小さい口から、ジュースをこぼさずに飲む自信がなかった。

「つまり、その電話で、課長さんは坪井さんの奥さんにクリスタルホテルの電話番号並びに部屋番号を教え、奥さんがメモ用紙にそれを書いた。こういうことになりますが……」

「刑事さん」

と、榎戸は言った。「事情は隠さず話すつもりです。しかし、そのことは坪井君には言わないでいただけませんか？　ぼくのプライバシーに関係することでして……」

「わかりました」

森山はすぐに応じた。「その点は警察を信じて下さい」

真実を話しても、果たして、森山は納得してくれるだろうか。絶えず、そんな不安に襲われながら、榎戸はあの日依子に待ちぼうけを食わされた事実を説明した。

ただ、昔の約束には触れなかった。ホテルで会うことについては、

「要するに、お互いに気晴らしをしようといった気持だったんです」

というような説明をした。結婚当初から約束があったというのでは、あまりにも坪井を侮辱したことになる。森山が坪井の後輩だと聞いていただけに、事実を変えた方がいいと考えたのだ。

「ははあ、そういうことですか？　すると、奥さんはホテルには現れなかったということですね」

聞き終わった森山は、意外なくらい静かに聞き返した。

「ええ、信じてもらえないかもしれないけれど、それが事実なんです。誓ってもいい」

「いや、信じますよ」

森山は、メモを取った手帳を目で追いながら言っていた。顔が笑っていた。「こちらの調べたこととも、矛盾はしていないし……」

「調べたことというと？」

「ルームサービスを取らなかった事実、冷蔵庫のビールが一本だけしか飲まれていなか

ったこと……。それから、チェックアウト後に部屋の整理に行ったメイドは、ベッドの毛布が剝がされていなかったし、バスタオルも一枚だけしか使われていなかった、と言っていましたし……」

「ああ……」

すでに、そこまで調べていたのか。榎戸は改めて驚いた。

あの夜、榎戸は依子が来たときに一緒に食事しようと考え、ルームサービスを取らなかったのだった。そして、ビールを一本飲んだだけで、腹も空かなかった。なぜ彼女が現れないのか、と神経をやきもきさせ、胸がいっぱいになっていたらしい。

そしてベッドには、上着を脱いだだけのワイシャツ姿で、毛布を剝がずに横たわっていた……。糊のきいたワイシャツを依子に見せたいという、こどもっぽい気持もあった。

いまになってみると、そんなことの一つひとつが、彼の言葉の裏づけになってくれたらしい。

「刑事さん、彼女はどうしていると思いますか？」

森山が、手帳をポケットにしまったとき、榎戸は聞いてみた。

「いや、わかりません」

と、森山は首を振った。「課長さんが何かご存じではないか、と思ったんですが、どうも違うらしいし……。まあ、もう少し、当たってみますよ」

当たるところがあるのか、そう口にしかかって榎戸は思いとどまった。恐らく、聞いても教えてくれないだろう……。

依子には、付き合っていた男がいたのではないか。刑事が帰ったあと、榎戸はそう考え始めていた。

その具体的な名前も、森山は摑んでいるのではないか。しかし、残されたメモの痕跡から、クリスタルホテルの方の調べを先にしたということであろう……。まだ調べていない人物がいたからこそ、榎戸については、彼自身の言葉を信じてくれた……。

彼は、部屋に帰ると、書類を見ている振りをしながら、あの日の依子の心理を推理してみた。

電話の印象では、榎戸のもとに来る気になっていたようだ。

『四十分ぐらいで着くと思います』

と言った言葉に、嘘が含まれていたとは思えない。恐らく、家を出た段階でも榎戸の待つクリスタルホテルに足を向けたのではないか。

ところが、途中で考えが変わった。あるいは、偶然に別の男に会い、そちらを選ぶ気になった……。それは榎戸より若く、そしてハンサムな男……。

榎戸の胸を苦いものが満たした。古い約束は、結局はかないものなのか。

だが、つぎの瞬間、それもおかしいと気がついた。たとえ、そんな男がいたにしても、依子は、家庭まで捨てる気になるだろうか。ことに、こどもを親に預けっぱなしにして、連絡もしないというのは、異常であろう。

とすると……。榎戸の頭を、まったく別の考えが襲った。彼女は、母親にはひそかに何かを打ち明けているのではないか……。

その電話は、森山刑事が帰ったあと、一時間くらい経ってかかって来た。榎戸のデスクにある電話機だったから、当然榎戸がそれに出たのだが、

「はい、営業企画です」

と、答えても相手は黙っている。彼は一瞬間違い電話かと思い、重ねて、

「もしもし」

と、呼びかけた。

「あのう、榎戸課長さんでしょうか？」

応答があった。弱々しい女の声だ。

「はい、そうです……」

そう答えて、榎戸は気がついた。依子からの電話らしい。彼は、反射的に送話口を手で囲い、早口に言った。「もしもし、あなたは坪井君の……」

「依子です」

榎戸の対応ぶりに安心したのか、相手の声は、いくぶん大きくなった。「この間は本当にご免なさい。電話なんかかけられる義理じゃないんですが……。榎戸さん、あたし

のこと、いい加減な女だと思ったでしょう？」

「そんなことはどうでもいい。いま、あなたはどこにいるんです？」

言いながら、耳を澄ました。電話の背後に断続的な金属音が入っている。

「それはちょっと……」

依子のその声は、突然強い騒音によってかき消された。電車の音のようだ。

「もしもし、どうも聞き取りにくいなあ」

「すみません。電車が通ったんです」

大きな雑音が消え、やがて金属音も聞こえなくなった。

「ああ、少し静かになった。近くに踏切りがあるんですね」

「ええ……。あたしねえ、あの日、本当にクリスタルホテルに行くつもりだったの。嘘じゃないわ」

依子の口調は、急に砕けたものになった。

「ええ、嘘だなんて言いませんよ」

「あたし、榎戸さんに買っていただくつもりだったの。でも、ホテルに向かいながら、急に自信がなくなって……。買う気がないなんて言われたらみじめだし……」

「……」

『買っていただく』が何を意味しているのかすぐにわかった。しかし、この場合、どのように答えたらいいのか……。

「それに、高過ぎるかなとも思ったし……。でも、値切られるのも嫌だから……」

「いくらで売りたかったの？」

榎戸は、故意に露骨な表現をした。そうでもしないと、話が発展しない……。

「四百万円……」

金額だけを吐き捨てるように言うと、依子は黙ってしまった。

「ふうん……」

榎戸は唸った。予想を遥かに上回る額であった。「どういうこと？　株か何かやっているの？」

「麻雀です。悪い仲間に誘われて……。それで、払えないものだから、仙台時代に知り合った金融業者から借りたんですが、利子が増えてしまい……」

「麻雀というと、ご亭主なんだね？」

と、榎戸は念を押した。坪井の麻雀好きは、同じ課の中でも有名だった。

「ええ……」

その依子の声に、被せるように、先刻の金属音が再び鳴り始めた。

「四百万ねえ……」

榎戸は、口に出して考えた。ホテルで彼女を抱いたあと、そう切り出されたら、何と答えただろう……。あるいは、同じベッドに肩を並べて潜り込んだときだったら……。

「ええ、いくら何でもそんな値打ちはない。そう思っているのでしょう？　遠慮しないでおっしゃって……」

また、あの激しい落雷のような騒音が受話口から襲って来た。

その瞬間だった。ある情景が、頭にひらめいた。

——ちんちんという音が鳴り始め、遮断機が降りる。近づいて来る電車。それまで電話をかけていた女が、突然送受器を投げ出すと踏切りに向かって走り始める。彼女は遮断機をかいくぐり、電車に向かってからだをジャンプさせ……。

「もしもし」

榎戸は、声を大きくした。依子は自殺する気なのではないか。

「はい……」

騒音が去り、依子の声がはっきりと聞こえた。「それに、仮に榎戸さんが買ってくれても、そのあとは束縛されることになるわけだし……。それなら、むしろ知らない人たちに買ってもらった方がいいのじゃないか。そんなことを、ふと思ったの。それで、あたしホテルのそばまで行きながら、引き返したんです」

「わかりました。いや、これは、あの日、あなたが来なかったわけがわかったという意味なんだが、あのあとどこに……」

「友だちのところ……。ああいう世界にすぐに飛びこむだけの勇気がないものだから、迷いを断ち切るための時間が……」

「ああいう世界？」

榎戸は聞き返したが、その途中で意味がわかった。女性が手っ取り早く金を稼げる世界。

「でも……」

と、依子は続けた。「どうにか、迷いもふっ切れた感じ。ただ、榎戸さんには、約束を破ったお詫びをしなければと思って電話したんです。じゃあ……」

「もしもし、ちょっと待って」

榎戸はあわてて呼びかけた。「とにかく結論はもう少し待って下さい。ぼくも対策を考えるから……」

「対策って何のですか？」

「いや、お金のこととか……。要するに、あなたが困っていることについて……」

「はい、でも……」

「そうですね。あしたにでも、もう一度電話を下さい。とにかく、それまでは、どんな決定もしないこと。いいですね？」

「わかりました。あしたお電話します」

依子の声の背後に、また断続する金属音が響き出した。

「あのう、依子です」

翌日、榎戸が出勤すると五分もしないうちに、依子からの電話があった。一刻も早く、榎戸の対策を聞きたいというのだろうか。

「ああ、ゆうべのことは、ご亭主から聞いているでしょう?」

榎戸は、送受器を持ち直しながら言った。電話は長くなりそうだ。

「ご亭主って、坪井のことですか?」

「うん、きのう、坪井君のところに小切手を持って行ったんだ。四百万円……」

「本当ですか? 助かります。それ、貸して下さるということでしょうか……」

「うん、それは君たち夫婦の気持次第だ。返したいというのなら、返してもらおう。もちろん、利子なんか取るつもりはないし、期限などはどうでもいい……」

その決定をするに当たって、榎戸は深く考えたりはしなかった。とにかく、依子を助けてやりたいという気持が先行したのだ。手っ取り早く稼ぐ場所といっても、依子の場合、すでに三十歳を越えており、そう簡単に四百万円ができるとも思えなかった。

一方、榎戸は、会社からの給料は、全額妻の百合子に渡し、アパートからの収入は株式投資や債券に運用していた。定期預金も何口かある。そうした資産のうちの四百万円を依子に回しても、とくに支障はなかったのだ。

「あのう、坪井は何て言っていました」

と、依子が聞いた。

「突然訪ねて行ったものだから、彼はあわてたらしい。外に出て来てくれて、近くの喫茶店で小切手を渡したんだ」

　榎戸は、そのときの坪井を思い出しながら言った。

『女房がいなくなってから、散らかしっぱなしでして……』

　坪井はそう弁解すると、マンションの入口から、榎戸のからだを押すようにして、外に連れ出した。その強引さが、疑問の最初のきざしだったのだが……。

「それで、受け取りましたか？」

　と、依子は聞いた。

「うん、奥さんから聞いたよ、必要なんだろう、と言って出したら、目を逸らすようにして受け取ったよ」

「あら、榎戸さんは、あたしから聞いたと言ったの？」

　依子が驚いたように聞く。

「うん、それが事実だから……」

　榎戸は、突き放すように言った。

「それじゃあ、彼、あたしと榎戸さんの間を変に思うのではないかしら？」

「変に？」

「ええ、この何日間か、あたしが榎戸さんにかくまわれていて、その代償が四百万円だというように……」

「そんなことはないだろう。君がぼくと一緒でないことは、坪井君がちゃんと知っているのだから……」

榎戸は、空いている右手で、メモ用紙に三角形を描いていた。いくつもの三角がそこに並んでいる……。

「え？　どういう意味ですか？」

「坪井君に小切手を渡してから、ぼくは駅の方に歩いて行ったんだ。あの近くに踏切りがあるんだね。そして、そのすぐそばの雑貨屋さんの店先にカードの使える公衆電話が置いてあった……」

「……」

依子は黙っている。予想した反応だった。

「それを見たとき、ぼくは、ははあと思ったんだ。君はここから電話をかけて来たのではないか。つまり、行方不明などにはならず、じっと自分の家にいたのじゃないか。坪井君が、ゆうべ、ぼくを押し返したのも、家に入られると、君が見つかるからで……」

「そんな……。あたしが家にいたのなら、刑事さんに見つかって……」

「ほら、語るに落ちた。君は、刑事のことをどうして知っているんだ？　考えてみると、あの刑事は、坪井君の後輩だそうだからね。恐らく、無理に頼んで一役買ってもらったのだと思うね」

「あのう……」

依子は、何か言いかけて絶句した。

「いや、心配することはない。小切手は現金化できるよ。一応、さっき言った条件で貸すということにしておくから……。四百万なければ、坪井君が困るのだろう？」

「すみません。まともに貸して下さいと言っても、貸して下さるかどうかわからなかったもので……」

「うん……。それで、昔の約束を思い出し、ぼくの助平心を利用したというわけか……」

もし、榎戸が四百万を出さなかったら、坪井は榎戸を威すつもりだったのではないか。

『刑事に聞いたのですが、課長は女房をホテルに呼んだのだそうですね』

こんな形で、恐喝することも不可能ではあるまい……。

「利用だなんて……」

と、依子が言った。「本当は、あたしも対等な形で、あのお約束を果したいんです。だからいつか……」

「約束ねえ……。ぼくはもう忘れることにするよ」

榎戸は笑った。無理な作り笑いであることは、自分でもわかった。

解説

多岐祐介

宅急便が来る。

差出人を改めて、ああとか、おやっなどと思う。さっそく紐をほどきにかかる。早く中身が視たい。ご丁寧に十文字の交差をきっちり搦《から》めて瘤《こぶ》にしてあり、おまけに結び目もかたい。刃物を使えば早いに決まっているが、意地もあって指先の技に没頭する。ようやくほどけた紐の両端を揃えて片手に、折り返しをもう片方に持って、両腕をひろげて長さを確かめる。さらに四分八分にし、一束に結ぶ。次は粘着テープだ。ここまできたら包み紙も破かず、四つ折り八つ折りにしなければならない。で、辛抱の甲斐あって意を達したときの、ささやかな満足感。紐と包み紙とを重ねて、さてどこに仕舞おうかと、しばし考える。無意識に脇へやっていた荷物に改めて気づいて、そうそう中身を視るのだったと思い出す。

こういうささやかな満足感に、なんの値打ちも認めない人がある。目的ははっきりしているのだから、さっさと刃物を使い、包み紙など破りとって丸めてしまうのが手っとり早いと、頭から信じて疑う気配もない。明快な人生観の持ち主だ。職場では切れ者でとおっているにちがいない。だがこういう人は、こと佐野洋の小説の読者としては、資質に問題があるかもしれない。

佐野洋の小説はいつもスマートで、いくつ読んでも胃にもたれることがない。玄人の仕事だ。その作風の特色は、荷物の中身と同じくらい、ともするとそれ以上に、紐や包み紙を大切に扱うところから来ているのではないかと、ぼくは思っている。


本書には、失踪を物語の骨子とする短篇が七篇並んでいる。

失踪とはどういうことだろうか。強制的に誘拐されたり、事故に遭ったのでないかぎり、本人に身を隠す必要があったということだ。しかも身を隠す理由を脇の人間にうち明けられぬ秘密の事情があったということだ。脇の人間は事情が判らぬから、謎の失踪と受けとり、心配したり行方を探したりする。その結果、秘密の事情なるものがしだいに、あるいは突然に明らかになる。つまり本書において失踪とは、さまざまの生臭い事件、殺人だったり不倫の清算だったりいまわしい過去の抹殺だったりする事件を、事情を知らされなかった他者の立場から遠望する仕掛けだといえる。

「しかし、ふたたび……」「夢の足」では、ともに殺人事件があったらしい。アリバイ工作のために、または事後処理のために、犯人には被害者の替え玉が必要だった。そこに法外なアルバイトが生じる。これが秘密の事情だ。アルバイトの性質上、替え玉たちが口外を禁じられるのは当然で、誰にも事情をうち明けずに行動を起こす。事件当事者や担当刑事にとっては生臭い殺人だが、二重三重に遠い立場にある替え玉の妻たちの眼には、夫の謎めいた失踪と映るほかはない。

作者はなぜ、こういう遠望の仕掛けを工夫したのだろう。事件の謎解きよりは動機や背景に、また奇抜な手口を思いついた犯人の心理過程に、さらには事件に巻き込まれて平凡な暮らしに波風立てられた第三者たちの人間模様を描くことに、作者の眼目はあったと読むべきだろう。「しかし、ふたたび……」を思い起こしていただきたい。特集記事の下調べが週刊誌編集者から地方新聞ベテラン記者へ依頼される仕組みや、その記者が警察取材で見せるかけひきや、今は主婦となっている元ホステスとの微妙な関係などは、事件の核心部分へいたるまでのたんなる段取りではない。また替え玉アルバイトを請負った男の、定年を数年後にひかえた心境や、夫婦観や、もの静かな喫茶店経営者になりおおせた現在の姿なども、小説を彩るたんなる背景ではない。むしろ普通の事件小説では段取りや背景にすぎないこれらの場面こそが、佐野洋の小説にあっては果肉であって、読者の記憶に残るのもそういう部分だろう。事件そのものは梅干の種のようなものだ。中身もさることながら、紐や包み紙との関わりのうちに物を贈られる楽しみを発見するのが、佐野洋の小説の妙味だといえる。

「赴任せず」は男が女を捨てる算段として狂言失踪を仕組む話だが、本書中もっとも簡潔な構成をもつこの作品が、ぼくは好きだ。看護婦大江諒子は仕事に使命感と生甲斐を覚えているため、札幌へ転勤する恋人の日下部についていくふんぎりがつかない。やむなく出発の日、彼を見送らねばならなかった。ところが日下部の同僚で昔諒子とも付合いのあった芽室から、日下部が札幌に着いていないと知らされる。札幌支社の小菅に連絡しても、同じことを言う。日下部の失踪の理由が、諒子には思いあたらない。じつは日下部と芽室と小菅とが共謀しての狂言失踪だった。彼らはまことしやかな失踪動機まで捏造して、諒子に日下部の失踪を信じこませようとした。だが諒子の独自の調べで狂言のカラクリが明らかになり、自分が日下部に捨てられたのだと知る。

こう物語をたどれば、身勝手な男と気の毒な女の物語だ。ところが読後感はまったく逆で、気の毒なのは姑息な手段を弄した男たちであり、潔く視限った諒子のほうはそれまでにも増して魅力的な女性となって、一篇は終わる。主人公に寄り添う視点から物語を読んできた読者は、諒子に同情しながらも、なにかしらすがすがしい読後感を抱くにちがいない。このすがすがしさが、佐野洋の独壇場ともいえる味わいであるのは、いうまでもない。

「時間を貸す」「古い約束」も、狂言失踪の物語だ。前者は、不倫の結果身籠った胎児の始末をつけるために、あろうことか失踪を装って、子を欲しながら産めぬ躰の夫人のもとに身を寄せて身代り出産するという奇策に出た、チャッカリ者の妹を兄が探す話。後者は、夫の借金を返済する目的で、その昔冗談半分に不倫の口約束をした元上司に接近し、狂言失踪を掛ませてまんまと元上司から金を引き出した妻の話だ。いずれも狂言失踪を仕組んだ当人の視点からではなく、兄や元上司の視点から描かれているために、不可解な失踪事件が一転して人間の滑稽な素顔を露呈する、ユーモラスな結末の効果を生み出している。

本書のみならず、佐野洋作品に一貫しているのは、根っからの喜劇精神だ。事件小説である以上、事件の渦中にある者にとって常に事態は深刻だ。事件そのものが当事者にとってすら深刻でないようでは、はなから読者に視向きもされまい。だがその深刻さを描くことが、佐野氏の本意ではなかろう。事件を遠い視点から、またある場合には行きずりの他人の視点から描くと、事件周辺になにが見えてくるか。進退窮まって土壇場に追いこまれると、人間なにをしでかすか判ったものではないという、滑稽な光景が見えてくる。

滑稽とは、片方では失望したり怒りを覚えたりしながら、同時にもう一方では哀感を覚えたりいつくしんだりする、その矛盾にしかたなく笑ってしまうしかないようなことをいう。佐野洋が事件周辺の人間模様から引き出してこようとしているのは、そういう笑いではないだろうか。その創作態度が、人間というどうしようもない、しかし興味尽きない生き物の正体とはいったいどんなものだろうかとの、大疑問を発し続ける精神力によってのみ支えられうることは、今さら強調するまでもあるまい。紐と包み紙を大切にするささやかな満足感の追求は、思いのほか大きな疑問を孕んでいる。

（文芸評論家）

文春文庫

消えた人々

定価はカバーに
表示してあります

1993年5月8日　第1刷

著　者　佐野　洋

発行者　新井　信
発行所　株式会社　文藝春秋
東京都千代田区紀尾井町3—23　〒102
TEL　03・3265・1211

印刷・凸版印刷　製本・加藤製本

Printed in Japan
ISBN4-16-721419-9